KB119394

영원히

빌려의 것

영원히 빌리의 것

ⓒ 강태식 2021

초판 1쇄 인쇄 2021년 5월 17일
초판 1쇄 발행 2021년 5월 20일

지은이 강태식
펴낸이 이상훈
편집인 김수영
본부장 정진항
문학팀 김다인 김준섭 하상민
마케팅 천용호 조재성 박신영 성은미 조은별
경영지원 정혜진 이송이

펴낸곳 (주)한겨레엔 www.hanibook.co.kr
등록 2006년 1월 4일 제313-2006-00003호
주소 서울시 마포구 창전로 70 (신수동) 화수목빌딩 5층
전화 02-6383-1602~3 **팩스** 02-6383-1610
대표메일 munhak@hanibook.co.kr

ISBN 979-11-6040-485-2 03810

• 값은 뒤표지에 있습니다.
• 파본은 구입하신 서점에서 바꾸어 드립니다.
• 이 책의 내용 일부 또는 전부를 재사용하려면 반드시 저작권자와 (주)한겨레엔 양측의 동의를 얻어야 합니다.
• 이 책은 한국문화예술위원회 '2014년 아르코문학창작기금'의 지원을 받아 발간되었습니다.

영원한

빌려의

강태식 소설

한겨레출판

차례

영원히

빌리의 게

LA외곽의 사막 지역에 대해서 말할 때 가장 중요하고 거론할 가치가 있는 거의 유일한 점은 그곳이 사람이 살 만한 곳이 아니라는 점이었다. 전갈에게 발등을 쏘이거나 뜨거운 모래 위에 딱 1분만 서 있어보면 왜 그런지 알 수 있었다. 해가 지면 이빨이 부딪칠 만큼 기온이 떨어졌는데 그건 원래 추운 곳의 추위보다 훨씬 더 끔찍했고 그곳의 땅값이 왜 거저나 다름없는지에 대한 충분한 설명이 되었다.

　　길게 뻗은 도로는 흙먼지를 일으키며 한두 대씩 지나다니는 대형트럭 덕분에 그게 도로라는 것을 잊지 않을 만큼 한산했고 도로변에 자리 잡은 척 앤드 빌리 중고 자동차 매장은 천오백 대가 넘는 자동차를 세워둘 수 있을 정도로 넓었다. 그곳에 실제로 세워져 있는 중고 자동차는 백여 대에 불과했지만 아무튼 그랬다. 빌리 발렌타인은 매장의 빈 곳을 볼 때마다 늘 10년 전에는 사정이 지금보다 나았다고 생각하는 예순다섯 살의 홀아비였다. 그는 10년 전에도 똑같은 생각을 했고 10년 후에도 같은 생각을 하리라는 것을 알았지만 자기가 해오던 방식을 바꿀 생각이 없는 사람처럼 보였다.

그날도 빌리 발렌타인은 하루 종일 척 앤드 빌리 중고 자동차 매장에 있는 사무실 책상에 앉아 장부를 들여다보거나 천장에서 돌아가는 오래된 실링 팬 소리를 들으며 꾸벅꾸벅 졸거나 정말 아주 가끔씩 길을 잃은 사람처럼 찾아오는 손님들을 상대했다. 손님들은 대부분 몇 푼 더 싸게 살 수 있다는 소문을 듣고 척 앤드 빌리 중고 자동차 매장까지 싸구려 차를 끌고 나타난 사람들이었는데 매장을 돌면서 만만한 차를 볼 때마다 계속 가격이 얼마냐고 물었고 사람 쥐어짜게 더운 땡볕 속에서 30분쯤 그러고 나면 몇 푼 싸다는 소문을 듣고 자기 발로 척 앤드 빌리 중고 자동차 매장까지 온 것을 후회했다.

"자동차는 겉만 보고 판단하면 안 됩니다. 특히 중고 자동차는 더 그렇죠."

빌리 발렌타인은 사람들의 주머니 속에서 짤랑대는 동전 냄새나 잔뜩 해진 채 접혀 있는 지폐 냄새를 정확하게 맡을 줄 알았다. 그걸 자기 주머니로 옮겨 넣으려면 어떤 표정을 짓고 어떤 목소리로 무슨 말을 해야 하며 어떤 순간에 어떤 동작을 취해야 하는지도 알고 있었다. 그런 면에서는 빌리 발렌타인이 동업자인 척 베리보다 나았다. 척의 행동거지는 세련되지 못했고 빌리 발렌타인은 기회가 날 때마다 식탁에 앉아 음식을 흘리는 아이를 혼내듯 오랜 동업자에게 잔소리를 늘어놓았다.

"이봐, 척. 내가 지금 자네한테 남이 안 보는 데 가서 코를 파라고 하면 무리한 요구일까. 남이 안 보는 곳에서는 코를 파 먹어도 되니까 자네한테도 좋을 것 아닌가."

척 베리가 밖으로 싸돌아다니며 외부 영업을 담당하고 있는 것은 순전히 그의 건강한 무릎 관절 덕분이었다. 빌리 발렌타인의 무릎 관절은 20년 전에 고장 났고 무릎이 고장 났다는 건 좋은 시절이 다 지나갔다는 뜻이었다. 그때부터 빌리 발렌타인은 하루 종일 매장을 지키며 뜨내기들을 상대하는 신세가 되었다. 척 베리는 빌리 발렌타인이 자네 몸에서 냄새가 난다거나 구두 뒷굽을 구겨 신지 말라고 말하면 자네가 내 마누라보다 더 무섭다며 웃어넘겼다. 척 베리는 그런 사람이었다. 어깨를 치거나 엉덩이를 때리면서 친근함을 표현하는 남부 출신의 늙은 남자였다.

하루 종일 사무실에 있으면서 빌리 발렌타인은 생각날 때마다 빗자루를 들고 바닥에 쌓이는 모래를 쓸어 담았다. 사실 그게 빌리 발렌타인이 맡고 있는 가장 중요한 업무였다. 창문을 닫고 커튼까지 쳐놓아도 잠깐 딴짓을 하다가 바닥을 보면 어느샌가 모래알이 돌아다녔다. 모래는 작은 틈으로 들어왔고 그런 틈은 사람 눈에 보이지 않을 정도로 작거나 아예 보이지 않는 곳에 감추어져 있었다. 하루만 쓸어 담지 않아도 사무실 구석에 모래가 한 줌씩 쌓였다. 빌리 발렌타인은 늘 모래로 인한 기관지 질환을 걱정했고 문이 열릴 때마다 신경을 곤두세우곤 했다. 그렇게 함으로써 빌리 발렌타인은 동업자인 척 베리가 잔소리할 수 있는 유일한 기회를 제공했다.

"모래는 내버려두고 자네 몸이나 신경 써……. 아무튼 모래는 내버려두라고."

그날도 빌리 발렌타인은 다섯 번째인가 여섯 번째인가 사무실 바닥에 돌아다니는 모래를 쓸어 담고 있었다. 빗자루가 너무 오래되었다는 생각을 했고 조만간 새 걸 하나 장만해야겠다는 생각을 했지만 자기가 모래를 쓸어 담을 때마다 그런 생각을 한다는 생각도 했다. 불현듯 평생 사무실에 앉아 모래나 쓸어 담다가 죽을 수도 있겠다는 생각이 들었다.

빌리 발렌타인은 빗자루로 책상 다리 밑에 낀 모래알을 긁어내며 한숨을 쉬었다. 어쩌면 그런 게 인생인지도 몰랐다. 시시하고 하찮고 별 볼 일 없는 일에 매달려 시간을 보내다가 끝장나는 것……. 빌리 발렌타인은 자기 인생이 그랬고 다른 사람들의 인생도 별반 다르지 않을 거라고 생각했다. 그리고 자기가 이 모든 생각을 모래를 쓸어 담을 때마다 한다는 생각도 했다. 척 베리의 말이 맞았다. 모래는 내버려두는 게 나았다.

"루비가 또 집을 나갔나 봐. 왜 자네도 알잖아. 철물점 하는 콜먼의 마누라 말이야."

척 베리에게 불만이 많은 것은 아니었다. 없지는 않았지만 같이 지낸 세월을 생각하면 절대 많은 편은 아니었다. 씻는 것과 옷 갈아입는 것을 말 안 듣는 아이처럼 징그럽게 싫어하고 아무 곳에서나 신발을 벗고 자기가 대단한 거물이나 된 것처럼 뻐기며 돌아다니고 어떨 때 보면 자기밖에 모르는 것 같고 특히 뭘 먹을 때는 더 그렇고…… 그런 것들만 빼면 그런대로 견딜 만했다. 하지만 사무실에 들어올 때마다 시내에서 보거나 들은 이야기를 문을 활짝 열어놓고 늘어놓는 것은 참기 힘들었다. 척 베리는 하루에 한두 번씩 자기가 소유하고 있는 여러 곳의 사업장 중 한 곳을 잠깐 둘러보려고 온 거물처럼 사무실에 들렀고 찾는 물건이 나올 때까지 책상 서랍을 뒤지거나 그만하라고 할 때까지 재미없는 농담을 계속하면서 방귀를 뀌어대다가 아주 중요한 일이 있는 사람처럼 서둘러 나가곤 했는데 그렇게 척 베리가 한번 다녀가면 사무실 바닥에 모래가 한 줌씩 쌓였다.

"문을 닫으라고 몇 번이나 말해야 문을 닫겠나? 내가 자네한테 옳지 않은 일을 하라고 한 것도 아니잖아."

"또 시작이군. 아무튼 내가 자네 잔소리 듣는 맛에 산다니까."

척 베리의 나쁜 점은 주변 사람 말을 귓등으로도 안 들음으로써 주변 사람이 끊임없이 잔소리를 하게 만든다는 것이었다. 하지만 좋은 점도 있었다. 남의 말을 귓등으로도 안 듣는 사람들이 그렇듯이 척 베리도 무슨 말을 듣든 웃어넘길 줄 알았다. 척 베리는 문을 닫고 들어와 책상 서랍을 뒤지면서 하던 이야기를 계속했다.

"자네도 콜먼이 어떤지 알잖아."

"콜먼이 자기가 어떤지 쥐뿔도 모르는 인간이라는 건 알지."

"그게 바로 내가 하고 싶은 말의 요점이야. 마누라가 그렇게 자주 도망치는 인간치고 자기가 어떤지 제대로 아는 인간은 아무도 없지. 콜먼이 딱 그래."

척 베리는 자기가 찾는 물건이 나올 때까지 서랍을 뒤지면서 콜먼 이야기를 했고 빌리 발렌타인이 세 번이나 화제를 바꾸려고 시도했지만 빌리 발렌타인의 시도를 세 번 다 깨끗하게 무시한 채 콜먼 이야기를 했고 책상 서랍 속에서 찾는 물건이 나오자 빌리 발렌타인 때문에 귀중한 시간을 낭비했다는 듯 뒤도 돌아보지 않고 사무실을 나갔다. 그렇게 오래된 동업자가 어떤 이야기를 하다 말고 나가면 빌리 발렌타인은 자기가 텅 빈 사무실에 혼자 남아 그 이야기를 계속 생각하게 된다는 것이 끔찍하게 싫었다. 그런 생각을 하면서 책상에 앉아 있거나 모래를 쓸면 인생이 더 시시하고 하찮고 별 볼 일 없이 느껴졌다. 그 이야기가 어떤 이야기든 그랬다. 그날 빌리 발렌타인은 척 베리가 나간 후에도 아주 오랫동안 콜먼과 콜먼의 아내에 대해서 생각했고 그러는 것이 정말 끔찍하게 싫었지만 중국계 미국인 변호사가 차를 몰고 나타날 때까지 그 생각을 멈출 수가 없었다.

"차를 보려고 오셨습니까? 그렇다면 제대로 찾아오신 겁니다."

빌리 발렌타인은 그때가 몇 시였는지 정확하게 기억하지 못했다. 잘 보이는 곳에 크고 낡은 벽시계가 걸려 있었고 사무실 밖에서 자동차 바퀴가 자갈에 갈리는 소리가 들리자 고개를 들어 35년째 같은 곳에 걸려 있는 벽시계를 쳐다보기는 했지만 그건 그냥 습관에 불과했다. 빌리 발렌타인은 무슨 일이 있을 때마다 벽시계가 아직 그곳에 걸려 있는 것을 확인하려는 사람처럼 벽시계를 쳐다봤고 팀 추이가 신형 벤츠를 몰고 척 앤드 빌리 중고 자동차 매장에 나타났을 때도 그랬다.

빌리 발렌타인은 블라인드 너머로 주차할 자리를 잡기 위해 몇 번 앞뒤로 왔다 갔다 하는 벤츠를 지켜보고 있었다. 사무실 앞은 자갈밭이었는데 그곳은 비행기 서너 대를 세워도 될 만큼 넓었고 척 앤드 빌리 중고 자동차 매장에 방문한 사람들은 그냥 아무 곳에나 적당히 차를 세워두고 내리면 되었다. 빌리 발렌타인은 사무실 건물 벽에 반듯하게 붙어서 주차하는 벤츠를 보며 마르고 키 큰 동양인이 내리리라고 생각했다. 그리고 그 생각이 정확하게 들어맞자 휘파람을 불며 밥벌이를 하기 위해 밖으로 나갔다.

"2753년형 벤츠네요. 이 차가 2753년형이라는 데에 제 전 재산을 걸어도 좋습니다. 차를 보면 그 사람의 인생을 알 수 있죠. 이런 차를 몰고 다니다니 운이 좋으시네요. 하지만 저희 매장에서는 이것보다 훨씬 좋은 차를 만나실 수 있을 거라고 장담합니다. 빌리 발렌타인입니다. 만나서 반갑습니다."

"차를 보려고 온 것은 아니지만……. 네, 만나서 반갑습니다. 에드워드 엘릭 앤드 알폰스 로펌의 팀 추이입니다."

16

빌리 발렌타인이 보기에 팀 추이는 벤츠를 타고 다니는 성공한 중국계 미국인이었고 벤츠를 타고 다니는 성공한 중국계 미국인이 입고 다닐 법한 좋은 양복을 입고 있었는데 움직일 때마다 몸이 양복 속에서 겉돌 것 같았다. 빌리 발렌타인도 사무실에서 일할 때는 양복을 입었지만 팀 추이가 입고 있는 양복은 빌리 발렌타인의 양복을 걸레처럼 보이게 할 만큼 고급스러웠다. 헤어젤로 모양을 낸 머리카락은 물에 젖은 휴지 뭉치를 타일 벽에 던진 것처럼 두피에 착 달라붙어 있었고 입술은 자세히 보지 않으면 그게 입술인지도 모를 만큼 얇았으며, 자기 눈빛이 얼마나 날카로운지 모르거나 알지만 모른 척해도 된다고 생각하거나 누군가 자기를 그런 눈으로 쳐다보면 어떤 기분이 드는지 말해주는 사람이 옆에 아무도 없는 사람처럼 상대방의 얼굴을 뚫어지게 쳐다보는 버릇이 있는 것 같았다.

"그럼 변호사시겠군요."

"그런 셈이죠."

빌리 발렌타인은 팀 추이와 악수를 나누는 짧은 시간 동안 최근 들어 누구와 악수를 나누며 이렇게 많은 생각을 한 적이 있었나 생각했다. 빌리 발렌타인이 보기에도 팀 추이는 매장을 돌아다니며 만만한 차가 보일 때마다 가격이 얼마인지 묻거나 돈 몇 푼 깎으려고 자기가 졸업한 고등학교를 들먹일 것 같지는 않았다. 빌리 발렌타인의 기억에 최근 10년 동안 다른 볼일로 척 앤드 빌리 중고 자동차 매장을 다녀간 사람은 아무도 없었다. 변호사가 다녀간 적이 몇 번 있기는 했지만 그들은 모두 자동차 값을 몇 푼 깎기 위해 자기가 법조계에서 일한다는 사실을 암시적으로 들먹이는 가난한 변호사들이었다.

"무슨 일인지 모르지만…… 일단 안으로 들어가서 이야기하는 게 어떨까요."

사무실로 들어온 뒤에 팀 추이는 빌리 발렌타인이 양복 재킷을 받아주겠다고 하자 지금은 근무시간이고 자기는 근무시간에 재킷을 입고 있는 것이 더 편하다고 말하며 응접용 소파에 앉아 서류 가방을 뒤지기 시작했다.

"다른 것도 있기는 한데…… 보이차가 좋겠죠?"

빌리 발렌타인은 중국인은 보이차라면 사족을 못 쓸 거라고 굳게 믿었다. 하지만 팀 추이는 설탕을 두 스푼 넣은 커피를 주문했고 빌리 발렌타인은 팀 추이가 설탕을 두 스푼 넣은 커피를 달라고 한 것과 자기가 중국인에게 편견을 가진 사람이라는 것 중에 어느 쪽이 더 실망스러운지 생각해볼 필요가 있다고 느꼈다.

"감사합니다. 잘 마시겠습니다……. 아, 여기 있네요. 한번 살펴보시겠습니까?"

빌리 발렌타인은 소파에 앉아 팀 추이가 내민 다섯 장짜리 서류를 두 손으로 들고 가만히 들여다보았다. 큰 글자로 된 부분도 있었지만 본문은 전부 모래알을 뿌려놓은 것처럼 작은 글자였고 그래서는 무슨 내용인지 도통 알 수 없었다. 돋보기안경은 사무실 두 번째 책상 서랍에 들어 있었다. 자주 쓰는 물건이고 늘 제자리에 두기 때문에 그곳에 들어 있을 것이 틀림없었다. 빌리 발렌타인이 고장 난 무릎 때문에 잠깐 망설이는 동안 팀 추이가 종이에 쓴 걸 읽듯이 말했다.

"괜찮으시다면 제가 설명해드리겠습니다. 괜찮으시다면요."

빌리 발렌타인은 손바닥을 펼쳐 보이며 당연히 괜찮다고 했고 그때부터 팀 추이는 지구에서 약 4.5광년 떨어져 있고 반지름이 지구의 11배에 달하는 목성 크기의 암석형 행성에 관해 설명하기 시작했다. 처음에는 주로 28세기 초에 그 행성을 최초로 발견한 천체물리학자이자 빌리 발렌타인의 먼 친척인 몽키 D 발렌타인 박사가 누구이고 불과 한 달 전에 하나님의 부르심을 받은 이 천재 과학자가 죽기 전까지 얼마나 많은 업적을 남겼으며 어떤 과정을 거쳐서 본인이 발견한 행성을 소유하게 되었는지에 대해 설명했지만 그건 결국 거대하고 아름다운 고리가 있고 크기가 각기 다른 아홉 개의 달을 가졌으며 175일을 자전주기로 하고 272년을 공전주기로 하는 행성 발렌타인-96419d에 대한 설명이었다. 팀 추이는 이 모든 설명을 마친 뒤에 빌리 발렌타인이 재미있기는 한데 지금 그 이야기를 왜 나한테 하느냐라거나 그래서 당신 볼일이 뭐냐는 식의 질문을 할 수 있도록 약간의 시간을 주었지만 빌리 발렌타인은 그 기회를 이용하지 않았고 팀 추이는 빌리 발렌타인이 그냥 그런 질문을 했다 치며 자기가 여기에 왜 왔는지 설명하기 시작했다.

"저희 에드워드 엘릭 앤드 알폰스 로펌은 몽키 D 발렌타인 박사님과 아주 오랫동안 좋은 관계를 유지해왔으며 그 관계가 법률적인 이해를 매개로 한 고용관계 이상이라고 늘 자부해왔습니다. 물론 저희 회사는 모든 고객을 가족처럼 생각하지만 몽키 D 발렌타인 박사님만큼 가족처럼 생각했던 고객은 없었다고 장담합니다."

팀 추이는 커피를 한 모금 맛보고는 지금도 좋지만 설탕을 한 스푼 더 넣으면 지금보다 훨씬 더 좋아질 것 같은데 자기가 직접 넣어도 되겠냐고 양해를 구한 다음 이야기를 이어갔다.

"몽키 D 발렌타인 박사님은 평생을 연구실에서 보낸 분입니다. 영면에 드는 순간까지 잠자는 시간도 아까울 만큼 연구에만 몰두하셨죠. 천체망원경을 들여다보며 별과 별 사이의 광대한 우주 공간을 여행할 때가 가장 행복하다고 말

하는 것이 그분의 입버릇이기도 했습니다. 결혼은…… 시간
도 없었지만 관심도 없으셨던 것 같습니다. 어쩌면 인간에
대한 관심이 없었다고 하는 것이 더 정확하겠지만요."

천장에서 낡은 실링 팬이 한 바퀴 돌 때마다 녹슨 문이 열
리듯이 끼긱 소리가 났고 팀 추이가 잠시 입을 다물자 그 소
리밖에 안 들렸다. 베어링이 다 된 것 같았다. 빌리 발렌타인
은 천천히 돌아가는 실링 팬의 나무 날개를 바라보며 아주
오래전부터 해왔던 결심을 다시 한번 했다. 다시는 저런 소
리가 나지 않게 조만간 실링 팬을 단단히 손봐야겠다고. 날
개 위에 지층처럼 두껍게 쌓인 먼지도 한번 닦아주면 이삼
년은 문제없을 것이었다.

"아무튼 제가 이런 이야기를 들려드리는 이유는 몽키 D
발렌타인 박사님이 돌아가시기 몇 달 전에 발렌타인 씨의
이름을 기억해내셨고 평생을 고독하게 살다 가신 그분이 한
명뿐인 자신의 먼 친척에게 발렌타인-96419d 행성을 상속
하기로 결정했기 때문입니다. 저는 그와 관련된 법적인 절
차를 밟기 위해 이곳에 온 법정대리인이고요."

팀 추이는 서류를 넘기면서 표시된 다섯 곳에 사인을 하
거나 도장을 찍으면 된다고 했고 빌리 발렌타인이 그렇게
하리라는 것에 아무런 의심도 없는 것 같았다. 하지만 빌리
발렌타인의 눈에는 이 모든 것이 장난 같아 보였다. 지구에

서 4.5광년 떨어진 곳에 뭐가 있다는 것도 그랬고 그것이 지구보다 11배나 큰 암석형 행성이라는 것도 그랬다. 그런 것들은 너무 멀거나 너무 커서 진짜 같지 않았다. 진짜는 훨씬 시시하고 하찮고 별 볼 일 없는 것이어야 했고 빌리 발렌타인이 아는 진짜는 전부 그랬다. 무엇보다 표시된 다섯 곳에 사인만 하면 그 행성이 자기 소유가 된다는 것이 가장 장난 같았다. 진짜는 한 번도 그렇게 쉬운 적이 없었다.

"축하합니다. 이제 지구에서 행성 소유권을 법적으로 인정받은 다섯 분 중의 한 분이 되셨네요. 고인께서도 기뻐하실 겁니다. 참, 이 서류는 저희 회사에서 가장 안전한 곳에 보관될 텐데요. 그건 곧 세상에서 가장 안전한 곳에 보관된다는 뜻이니까 걱정하지 않으셔도 됩니다."

그날 빌리 발렌타인은 팀 추이와 두 번 악수했는데 처음 만난 사람과 악수를 하면서 두 번 모두 그렇게 머리가 복잡했던 적은 처음이었다. 팀 추이가 가고 나면 사무실에 혼자 남아서 아주 오랫동안 팀 추이가 한 이야기를 생각하게 될 것 같았다. 척 베리가 잠깐 다녀갔을 때도 그러기는 했지만 혼자서 철물점을 지키고 있을 콜먼과 어떤 이유 때문에 집을 나간 그의 아내에 대해 생각하는 것과 거대하고 아름다운 고리가 있고 크기가 각기 다른 아홉 개의 달을 가졌으며 175일을 자전주기로 하고 272년을 공전주기로 하는 행성에 대해 생각하는 것은 전혀 다른 일이었다. 훨씬 더 오랫동안 훨씬 더 그것만 생각할 것 같았고 잠시 후 팀 추이가 사무실 앞에 주차된 벤츠를 타고 떠나자 사무실에 혼자 남은 빌리 발렌타인은 정말 그렇게 했다.

빌리 발렌타인은 돋보기안경을 쓰고 사무실 책상에 앉아 팀 추이가 두고 간 A4용지 크기의 사진 한 장을 뚫어져라 들여다보았다. 발렌타인-96419d 행성을 찍은 사진이었고 몽키 D 발렌타인 박사가 가지고 있던 사진 중에 가장 잘 나온 사진이었다. 팀 추이의 말에 따르면 그랬다. 하지만 빌리 발렌타인이 보기에 그 사진은 언젠가 한번 본 적이 있는 교향곡 악보와 비슷했고 LA외곽의 사막에서 35년째 중고 자동차 매장을 운영하는 사람은 죽었다 깨어나도 그게 뭔지 알수 없다는 점에서는 교향곡 악보와 완전히 똑같았다.

빌리 발렌타인은 사무실 바닥의 모래를 쓸면서 이번에는 무슨 일이 있어도 살이 멀쩡한 빗자루를 하나 장만해야겠다고 생각했다. 책상 다리 밑에 끼어 있는 모래를 긁어내고 어디서 모래가 들어오는지 살피고 쓸어 담은 모래를 사무실밖에다가 내다 버리고…… 그런 다음 다시 책상에 앉아 사진을 들여다보았다. 배경은 밤하늘처럼 온통 까만색이었는데 생각해보면 그건 정말 까만 밤하늘이 맞았다. 옅은 빛이 비치는 극히 제한적인 부분에 행성의 무리가 점처럼 찍혀 있었고 그중 한 곳에 동그라미가 쳐져 있는 것을 보면 발렌타인-96419d의 위치를 표시해놓은 것 같았다. 사진 속의 발렌타인-96419d 행성은 10초쯤 계속 들여다보지 않으면 그곳에 그런 게 있는지도 모를 만큼 희미했다. 동그라미 표시가 되어 있는데도 그랬고 빌리 발렌타인이 보기에도 그건 없는 것이나 마찬가지였다.

"방금 내가 시내에 나가서 어떤 일을 겪고 왔는지 알면 빌리 자네도 깜짝 놀라지 않고는 못 배길걸."

한 시간 뒤에 나타난 척 베리는 이번에도 사무실 문을 활짝 열어놓고 시답잖은 이야기를 지껄여댔는데 껌을 씹고 있고 코끝이 살짝 빨간 것을 보면 어디 가서 누구랑 제대로 한잔하고 들어온 것이 분명했다. 척 베리는 근무시간에 술을 마셨고 빌리 발렌타인에게 그 사실을 숨기고 싶을 때마다 껌을 씹었다.

"아침에 루비가 집을 나갔다고 했잖아. 철물점을 하는 콜먼의 마누라 말이야. 콜먼에게 위로가 필요할 것 같아서 잠깐 철물점에 들렀는데 마침 루비가 캐리어를 끌고 들어오더라고. 자네도 그때 콜먼의 얼굴이 어땠는지 봤어야 하는데."

척 베리는 한 시간 전에 팀 추이가 앉아 있던 소파에 앉아 냄새가 엄청난 방귀를 몇 번 뀌면서 이야기를 계속했다. 아

24

까부터 계속 무언가를 들여다보고 있는 빌리 발렌타인이 콜먼과 루비 이야기에 눈곱만큼도 관심이 없는 것처럼 보이기는 했지만…… 척 베리는 한번 시작한 이야기를 끝까지 하는 사람이었다.

"여자가 주먹으로 남자 아구창을 날리는 걸 몇 번 보기는 했지만 루비처럼 그렇게 화끈하게 날리는 건 정말 처음 봤어. 여자 주먹 한 방에 그렇게 완전히 나가떨어지는 남자도 처음 봤고. 아무튼 루비가 바닥에 쓰러진 콜먼한테 이러는 거야. 당신은 40년 전부터 개자식이었고 40년 동안 그렇지 않은 적이 한 번도 없었다고. 그러더니 캐리어를 끌고 다시 가버리는 거야. 루비가 그렇게 화끈한 줄 몰랐어. 정말이야. 루비가 그러는 걸 내가 직접 봤다니까."

빌리 발렌타인은 척 베리가 이야기하는 동안 한 번도 고개를 들지 않았다. 모든 이야기가 끝나고 척 베리가 작정한 듯이 소파에 앉아 계속 방귀를 뀌어댈 때도 사진만 들여다보았다. 빌리 발렌타인은 척 베리가 그곳에 없는 사람처럼 행동했다. 척 베리에게도 빌리 발렌타인은 그곳에 없는 사람처럼 보였다. 다른 어딘가에는 있을지도 모르지만 그곳이 LA외곽 사막에 있는 척 앤드 빌리 중고 자동차 매장이 아니라는 것은 분명했다.

　모래는 어느 틈으론가 계속 들어왔고 누군가는 하루 종일 사무실에 틀어박혀서 끊임없이 모래를 쓸어내야 했는데 척 베리는 절대 그럴 사람이 아니었다. 빗자루를 드는 순간 자기의 정체성에 심각한 문제가 생긴다고 굳게 믿는 것 같았다. 거들먹거리면서 여기저기 싸돌아다니다가 하루에 한두 번씩 사무실에 들러서 빌리 발렌타인이 당장 그만두지 않으면 있는 힘껏 엉덩이를 걷어차겠다고 소리 지를 때까지 계속 거들먹거려야 자기가 제대로 된 인간이라고 생각하는 것이 틀림없었다.

　"빌리 자네는 무릎이나 신경 쓰라고. 일은 내가 할 테니까."

　척 베리는 기회가 있을 때마다 생색을 냈고 따지고 보면 그 말도 아주 틀린 말은 아니었다. 하지만 완전히 맞는 말이라고도 할 수 없었다. 모래가 보일 때마다 사무실 바닥을 쓸어내는 일이 기분 내키는 대로 돌아다니다가 같이 어울려서 꼭지가 돌 때까지 술을 마신 사람들에게 한두 대씩 중고 자동차를 파는 일보다 더 쉽다고는 할 수 없었으니까.

　아무튼 그날도 빌리 발렌타인은 아침 일찍부터 사무실에 나와 모래가 보일 때마다 빗자루질을 하고 있었다. 1년쯤 전에 새 빗자루를 하나 장만하기는 했지만 LA외곽의 사막처럼 모래가 많은 지역에서는 1년 정도 된 물건은 그게 어떤 물건이든 남아나지 않았고 빗자루는 특히 더했다. 빌리 발렌타인은 사무실 바닥을 쓸면서 빗자루가 너무 오래되었다는 생각을 했고 조만간 새 걸 하나 장만해야겠다는 생각을 했지만 자기가 36년째 모래를 쓸어 담을 때마다 같은 생각을 한다는 생각도 했다.

빌리 발렌타인은 살이 다 떨어져나간 빗자루로 책상 다리 밑에 낀 모래를 긁어냈고 모래가 어디서 새어 들어오는지 살폈고 쓸어 담은 모래를 사무실 밖에다가 내다 버렸고…… 그런 일들을 처음부터 끝까지 몇 번 되풀이한 뒤에 사무실 책상에 앉아 테이블 액자에 끼워둔 사진을 물끄러미 들여다보았다.

1년쯤 전의 일이었다. 중국계 미국인 변호사가 2753년형 벤츠를 몰고 나타났고 빌리 발렌타인이 서류에 표시된 다섯 곳에 서명을 할 때까지 설탕을 두 스푼 넣은 커피를 정말 맛없다는 표정으로 마시다가 사진 한 장을 두고 가버린 적이 있었다. 빌리 발렌타인은 그 사진을 액자에 끼워 책상에서 가장 잘 보이는 곳에 세워두었고 생각날 때마다 돋보기안경을 찾아 쓴 채 그 사진을 들여다보며 지냈다. 그때 했던 생각이 맞았다. 빌리 발렌타인은 발렌타인-96419d를 찍은 사진을 들여다보면서 팀 추이가 한 이야기를 아주 오랫동안 생각했다.

빌리 발렌타인은 액자를 들어 걸레로 닦은 다음 다시 제자리에 돌려놓았다. 그러고 나면 훨씬 깨끗하게 보였고 훨씬 잘 보였다. 사진의 까만 배경에 작은 동그라미가 하나 쳐져 있었다. 나중에 알고 보니 동그라미의 실제 직경은 200만 킬로미터쯤 되었고 그건 행성을 표시했다기보다는 행성이 있는 구역을 표시한 것에 가까웠다. 동그라미의 직경이 200만 킬로미터라는 사실을 안 이후로 빌리 발렌타인은 사무실 책상에 앉아 사진을 볼 때마다 자기가 아무것도 없는 곳을 지치지도 않고 들여다본다는 생각을 지울 수 없었다. 그리고 지구보다 11배 큰 행성이 먼지처럼 떠 있는, 직경 200만 킬로미터의 동그라미를 들여다보는 것은 아무것도 없는 곳을 들여다보는 것이 맞았다. 지구보다 11배 큰 행성이 동그라미 안에 버젓이 들어 있는데도 그랬다.

가끔은 동그라미 안의 어떤 점이 아주 선명하게 보일 때도 있었다. 평소에는 아무것도 보이지 않거나 그곳에 그런 것이 있다고 믿어야 아주 희미하게 보이는 게 고작이었지만 어쩌다가 한 번씩은 깜짝 놀랄 만큼 크고 뚜렷하게 보이기도 했다. 얼음과 먼지로 이루어진 고리가 보였고 각기 다른 궤도를 돌고 있는 아홉 개의 위성이 보였다. 행성의 지형은 단순했지만 운석과 충돌해서 생긴 크고 작은 크레이터가 여러 곳에 흩어져 있었고 어떤 크레이터의 테두리에는 칼처럼 날카로운 산이 솟아 있기도 했다. 지표면은 척박하고 황량했다. 바위와 모래뿐이었다. 자갈이 깔린 지역도 있었지만 그곳이 어디든 맨발로 디디면 아주 차갑거나 아주 뜨겁거나 둘 중의 하나일 것 같았다. 행성의 고리와 아홉 개의 달이 보이고 지평선이 훨씬 멀리 있기는 했지만 산책하고 싶은 마음이 들지 않는다는 점에서 그곳은 LA외곽의 사막과 굉장히 비슷했다……. 계속 들여다보면 그런 것들이 정말 보이는 것 같았다.

"빌리 자네 오늘 저녁에 혹시 시간 되나?"

척 베리가 사무실에 들를 때마다 문을 활짝 열어놓고 나사 빠진 사람처럼 지껄여대는 것에 대해 빌리 발렌타인만큼 오랫동안 깊이 있게 생각한 뒤 일리 있는 결론에 도달한 사람은 아무도 없었다. 빌리 발렌타인이 보기에 척 베리는 그래야만 자기가 대단한 사람처럼 보인다고 착각하거나 문 닫는 걸 매번 깜빡할 만큼 머리가 나쁘거나 한 것 같았는데 사실 둘 다일 가능성이 가장 높았다. 그날도 척 베리는 사무실 문을 열고 서 있었다. 코끝이 살짝 빨갰고 누렇게 변색된 이로 껌을 씹고 있었다.

"왜 무슨 일 있어?"

"루비 말이야. 1년 전에 콜먼의 이빨을 두 개나 부러뜨렸었잖아. 자네도 기억하지? 콜먼의 발음이 이상해진 게 그때부터였던 거."

척 베리에게 깊은 인상을 남긴 사람은 많지 않았다. 확실히 콜먼 부부의 이야기는 머리에 총알이 박혀 있어서 밤이 되면 오래전에 죽은 할리우드 스타들이 보인다는 낸시나 차에 일곱 번이나 치이고도 여전히 신호등을 무시하며 돌아다니는 버기, 자기 집 차고에서 방울뱀을 서른일곱 마리나 키우고 있는 더글러스 영감의 이야기에 비하면 턱없이 약했다. 그런데도 척 베리는 콜먼 부부의 이야기를 여러 번 했는데 그건 콜먼과 루비가 척 베리의 머릿속에 아주 깊은 인상을 남겼다는 뜻이었다. 척 베리는 그럴 필요가 있을 때마다 루비의 주먹에 완전히 나가떨어지는 콜먼의 흉내를 내면서 사람들을 웃겼고 꼭 자기가 두 눈으로 똑똑히 봤다는 말을 덧붙였다. 자네들도 그걸 봤어야 하는 건데. 루비의 주먹은 진짜였다고.

"루비한테 젊은 남자가 생겼대. 그냥 젊은 남자 말고 정말 새파랗게 젊은 이탈리아 남자 말이야. 이름이 안토니오인데……, 장소도 안 가리고 얼마나 물고 빠는지 둘이서 그러는 걸 그 근방에서 안 본 사람이 없다나 봐. 사람들은 콜먼이 나서서 따끔하게 한마디 해야 한다고 생각하는 것 같지만…… 그건 콜먼이 지금 어떤지 몰라서 하는 소리야. 오, 불쌍한 콜먼!"

척 베리가 철물점에 들른 것은 대낮부터 같이 술 마실 사람이 없어서가 아니라 진심으로 콜먼이 걱정되었기 때문이었다. 척 베리의 말로는 그랬다.

"정말이라니까."

그때 콜먼은 시멘트 바닥에 엉덩이를 대고 앉아 왼쪽에 있는 것을 오른쪽으로 하나씩 옮기며 입으로 숫자를 세고 있었고 아까부터 척 베리가 등 뒤에 서 있는 것도 모를 만큼 그 일에 푹 빠져 있었다. 척 베리는 콜먼의 어깨를 흔들면서 지금 뭐 하는 거냐고 물었다.

"콜먼이 자루에 든 납작못을 세면서 우는 모습을 빌리 자네도 봤어야 하는데……. 콜먼은 자기 이빨을 두 개나 부러트린 여자를 여전히 사랑하고 있었던 거야. 오, 불쌍한 콜먼!"

콜먼은 납작못의 재고량을 조사하는 중이라고 했고 철물점 창고에 이런 납작못이 백 자루 더 있는데……, 아무튼 철물점 일은 정말 해도 해도 끝이 없다고 했다. 그러고는 다시 납작못을 세면서 작은 목소리로 덧붙였다. 납작못을 세면 도움이 돼. 납작못이 얼마나 큰 위로가 되는지 몰라.

"콜먼이 그랬어?"

빌리 발렌타인은 바닥에 깔려 있는 모래를 한참 보고 있다가 방금 정신이 든 사람처럼 말했다. 귀퉁이 몇 곳에 모래가 쌓여 있었고 소파 밑에도 모래가 들어간 것 같았다. 죽은 벌레의 시체 같은 것이 발밑에 놓여 있었다. 물기 하나 없이 바싹 말라 있었고 땡볕에 하얗게 탈색된 껍질만 남아 있었고 뱀이 벗어놓은 허물처럼 보이기도 했다. 모래가 들어올 때 같이 들어온 것 같았다.

"콜먼이 그랬어. 그래서 말인데…… 저녁에 콜먼과 한잔 하기로 했거든. 시간 되면 자네도 같이 가는 게 어때? 우리가 납작못보다야 낫지 않겠어?"

빌리 발렌타인은 척 베리가 왜 그렇게 생각하게 되었는지 궁금했지만 그냥 그러겠다고 대답했다. 예전에 면도를 하려고 단골 이발소에 갔다가 미용 의자에 앉아 있는 콜먼을 한 번 본 적이 있었다. 이발소 사인볼이 삐꺽 소리를 내며 돌아가는 곳이었는데, 가위질 소리가 빨라졌다가 느려졌다가 다시 빨라졌고 목에 커트보를 두른 콜먼은 정신이 나간 사람처럼 거울만 들여다보고 있었다. 이발소 의자에 앉아 거울만 들여다보는 사람은 많이 봤지만 콜먼처럼 그렇게 거울만 들여다보는 사람은 처음이었다. 그날 빌리 발렌타인은 잘 가지 않는 이발소에서 면도를 하다가 피를 봤고 이틀 동안 턱에 반창고를 붙이고 다녀야 했다.

"그럼 이따 봐. 자네가 오면 콜먼도 틀림없이 좋아할 거야."

척 베리가 다녀간 뒤에 빌리 발렌타인은 사무실에 남아 모래를 쓸어 담았다. 그런 다음 책상에 앉아 남은 시간을 보냈다. 책상에 앉아 있으면 늘 자리만 차지하는 물건을 내다 버리듯 시간을 내다 버린다는 생각이 들기도 했지만 어느 지점을 지나고부터 빌리 발렌타인은 더 이상 그런 생각을 하지 않았다. 처음에는 그런 생각을 하지 않는 것에 대해 생각했지만 나중에는 아무 생각도 하지 않았고 그게 더 편하다는 것을 알게 되었다. 나이가 든다고 모든 게 나빠지는 것은 아닌 것 같았다.

이따금 모래바람이 정말 세게 불었고 그때마다 빌리 발렌타인은 고개를 돌려 뿌옇게 변한 창밖을 바라보았다. 한 시간에 대여섯 대꼴로 대형트럭이 지나다니는 소리가 들렸다. 대부분의 트럭은 모래 먼지를 일으키며 갈라진 도로 위를 그냥 달려서 지나갔지만 어떤 트럭들은 뱃고동 소리처럼 들리는 경적을 길게 울려대기도 했다. 일상은 그런 것들로 이루어져 있었고 그런 것들은 쉽게 변하지 않았다. 빌리 발렌타인은 사무실 책상에 앉아 잊을 만하면 한 번씩 사진을 들여다보았는데 그것도 변하지 않는 일상 중의 하나였다. 모래를 한 번 더 쓸어내고 물건들을 원래 있던 자리에 돌려놓은 다음 사무실을 나서기 위해 옷걸이에 걸어둔 겉옷을 걸쳐 입을 때도 그랬다. 일상은 손때 묻은 동전처럼 단단했다. 하지만 그렇지 않을 때도 더러 있다는 걸 빌리 발렌타인도 알고 있었다.

빌리 발렌타인은 실내등을 끄고 잠깐 그 자리에 서서 어두워진 사무실을 찬찬히 둘러보았다. 집에 가기 전에는 늘 그렇게 했고 그렇게 해야만 마음이 놓였다. 그때 책상 위에 올려놓고 쓰는 사무용 전화기의 벨이 울렸다. 빌리 발렌타인은 전화를 받기 위해 실내등을 다시 켜야 했고 생각해보면 그건 절대로 일상적인 일이 아니었다.

"안녕하세요. 팀 추이입니다. 제가 기억나실지 모르겠네요."

1년 전에 잠깐 만난 변호사가 먼저 전화를 걸어오는 것도 일상적인 일이라고는 할 수 없었다. 팀 추이는 1년 사이에 성격이 많이 변한 것 같았고, 어쩌면 생각이나 시각이 바뀐 것일 수도 있지만 아무튼 1년 전보다 훨씬 사람 냄새가 나는 것 같았다. 반갑다고 말할 때도 그랬고 이런 소식을 전하게 되어 몹시 안타깝다고 말할 때도 그랬다. 정말 그렇게 생각해서 그렇게 말하는 것 같았다.

"어제 새벽 03시 47분경에 발렌타인-96419d의 폭발이 확인되었다네요. 정말 유감입니다, 발렌타인 씨. 뭐라 드릴 말씀이 없네요."

팀 추이의 말에 따르면 어제 새벽 발렌타인-96419d가 위치한 좌표에서 고에너지 반응을 동반한 미약한 섬광현상이 관측되었고 곧 항성의 광도값과 펄서 수치에 변화가 발생했다고 한다.

"스펙트럼의 상태도 달라졌는데요······. 그러니까 제 말은 아주 똑똑한 사람들이 아주 복잡한 방법으로 발렌타인 씨가 소유한 행성이 폭발했다는 사실을 알아냈다는 거죠. 아마 그 사람들 말이 맞을 겁니다."

거대 운석과의 충돌이 원인일 수도 있고 다른 행성과의 충돌이 원인일 수도 있다고 했다.

아무튼 발렌타인-96419d 크기의 행성이 한순간에 소멸하는 것은 발생 확률이 매우 낮은 일이고 그런 일이 일어나려면 천문학적인 양의 에너지가 필요한데 현재로서는 거대 운석이나 행성 이외의 것은 생각하기 힘들다고 했다.

"아직 확실한 것은 아무것도 없어요. 앞으로도 무언가 확실해지리라고 기대하기는 어렵고요. 하긴 뭔가 확실해진다 해도 달라질 것은 없지만요."

빌리 발렌타인은 팀 추이의 설명을 듣기만 했다. 수화기

를 귀에 댄 채 한 번도 말을 해본 적이 없는 사람처럼 입을
다물고 있었다. 빌리 발렌타인의 머릿속에는 딱 한 가지 생
각뿐이었다. 갑자기 무릎이 아팠고 실내등 불빛 때문에 눈
이 부셨고…… 어두운 곳에 혼자 앉아 조용히 쉬고 싶었다.

"괜찮으세요, 발렌타인 씨?"

빌리 발렌타인은 대답하지 않았다. 수화기를 들지 않은
손으로 마른세수를 한 번 한 다음 따끔거리는 눈을 느리게
감았다 떴다.

"발렌타인 씨?"

팀 추이는 몇 번 더 빌리 발렌타인의 이름을 불렀고 그래
도 대답이 없자 몇 번 더 빌리 발렌타인의 이름을 불렀다. 빌
리 발렌타인이 말 한마디 없이 전화를 끊기 전까지 팀 추이
는 계속 그렇게 했다. 수화기를 원래 있던 자리에 내려놓은
다음 빌리 발렌타인은 문 쪽으로 몇 걸음 걸어가 실내등 전
원을 내렸다. 사무실은 다시 어두워졌고 따끔거리던 눈도 편
안해졌다. 잠시 후 빌리 발렌타인은 소파에 몸을 기대고 앉
아 천천히 숨을 들이마셨고 세상에서 가장 중요한 일을 하는
사람처럼 신중하게 숨을 내뱉었다. 한 번 두 번 세 번…….
그러다가 문득 발렌타인-96419d가 폭발한 뒤에 그 많은 모
래가 모두 어디로 흩어졌을지 궁금해졌다. 빌리 발렌타인은
다시 한번 아주 깊이 숨을 들이마셨다가 내뱉었다.

천장에 매달린 실링 팬은 못으로 박아놓은 것처럼 꼼짝도 하지 않았다. 멀리에서 달려온 트럭 불빛이 사무실 창을 훑고 빠르게 지나갔다. 가끔씩 모래바람 부는 소리가 들렸고 빌리 발렌타인은 불 꺼진 사무실에 혼자 앉아 울기 시작했다. 콜먼과 척 베리를 만나러 가야 했지만 당장은 그러고 싶지 않았다. 입에서 신음이 새어 나왔고 계속 눈물이 흘러내렸다. 빌리 발렌타인은 자기가 왜 그러는지 알 수 없었다. 어렴풋이 알 것 같기도 했지만 제대로 아는 것은 아니었다. 확실한 것은 아무것도 없었다. 지금 자기가 울고 있고 울음이 그치려면 한참 기다려야 한다는 사실을 빼면 그랬다.

우리에게

가능한 순간

시골에 있는 대부분의 작고 오래된 동네 술집이 그렇듯이 찰리 위가 운영하는 술집도 손님이라고는 노인들뿐이었는데 그중의 한두 명은 반년에 한 번꼴로 갑자기 삐걱대는 마룻바닥에 쓰러져 응급실로 실려 가곤 했다. 켄터키 주 버번 카운티에 있는 술집이 모두 그런 것은 아니지만 찰리 위네 술집은 그랬다.

노인들은 하루 종일 자리를 차지하고 앉아 위스키 한 잔을 입에 물었다 뱉었다 하면서 모든 것이 예전 같지 않다는 이야기를 아주 천천히 늘어놓곤 했다. 집에서 키우는 크고 늙은 개가 다리를 절기 시작했다는 이야기와 버르장머리 없는 손자놈이 자기를 어떤 눈으로 봤고 어떻게 대했으며 옛날에는 조부모 앞에서 그렇게 행동하는 손자를 어떤 방식으로 교육했는지에 대한 이야기와 오랫동안 알고 지냈지만 지금은 죽었거나 멀리 이사했거나 멀리 이사해서 살다가 죽은 이웃의 이야기와…… 그 근방에서 갈 곳 없는 노인이 모여서 그런 이야기를 할 수 있는 곳은 찰리 위의 술집뿐이었고 자기가 갈 곳 없는 노인이라는 것을 잊고 그런 이야기를 하루 종일 할 수 있는 곳도 그 근방에서는 찰리 위의 술집뿐이었다. 노인들은 그러다가 갑자기 의자에서 미끄러졌고 아주 오래된 곤충표본이 땅에 떨어질 때처럼 아무 소리도 내지 않은 채 바닥에 쓰러졌다.

평소에 찰리 위는 나비 넥타이에 감색 넥스트를 받쳐 입고 바 안쪽에 서서 마른 천으로 잔을 닦거나 주문을 받거나 했는데 자기 술집 홀에서 누군가 갑자기 쓰러지면 구급차가 도착하기 전까지 어떤 조치를 취해야 하는지 정확하게 알았다. 술집 벽 잘 보이는 곳에는 E.F.R에서 발행한 응급처치 라이선스가 걸려 있었고 노인들은 가끔 한 번씩 그것을 쳐다보며 자기 인생이 개미 똥구멍만 한 술집 바닥에서 종 치는 일은 없을 거라는 사실에 안도하고는 했다.

"안녕하세요, 찰리." 찰리 위의 술집 문에는 큼지막한 놋쇠 종이 달려 있었다. 문에 종을 달아두는 것은 굉장히 고전적인 방식이었지만 다른 모든 부분에서 그렇듯이 고집스러운 표정의 찰리 위는 자기가 지금까지 해오던 방식을 바꿀 생각이 털끝만큼도 없는 것 같았다. 그래서 찰리 위의 술집 문을 열고 들어가거나 나가는 사람은 놋쇠 종이 딸랑거리며 내는 고전적인 소리를 들어야 했고 그것은 바의 한쪽 구석에 자기 자리가 있는 제리 맥킨도 예외가 아니었다. 제리 맥킨은 큰 개가 1년 내내 깔고 앉았다가 내다 버린 종이 박스처럼 너덜너덜한 차림으로 다녔는데 다른 곳에서는 안 그러거나 좀 덜 그랬는지도 모르지만 찰리 위의 술집에 올 때는 늘 그랬다. 바지 밖으로 삐져나온 와이셔츠는 단추 두 개가 떨어진 채 잔뜩 구겨져 있었고 발목까지 흘러내린 양말에 여물통처럼 낡고 투박한 구두를 신고 있었으며 며칠 안 깎고 내버려둔 수염은 치즈에 난 곰팡이처럼 끔찍해 보였다. 아무튼 제리 맥킨은 방금 왔지만 사나흘쯤 자리에서 한 번도 일어난 적이 없는 사람처럼 바 한쪽 구석에 앉아 있었다.

"아저씨 지난번에 먹다 남은 술 있죠? 그거 주세요."

"자네는 기억하지 못하나 본데······."

찰리 위는 입이 납덩어리처럼 무거웠고 꼭 해야 할 말만 했지만 몇몇 단골하고는 한두 마디씩 말을 주고받았고 제리 맥킨처럼 술집의 일부 같은 단골에게는 특별히 더 많은 말을 했다. 찰리 위는 마른 천으로 잔을 닦다가 같은 천으로 테이블을 몇 번 훔친 뒤 다시 잔을 닦으며 말을 이었다.

"나는 자네가 그 자리에 앉아서 술을 마시는 걸 15년 동안 보아온 사람이지만 자네가 술을 남기는 건 한 번도 보지 못했어."

"알았어요. 술이나 줘요."

제리 맥킨은 찰리 위의 술집을 들락거리는 손님 중에 아직 머리가 새지 않은 유일한 사람이었다. 가끔 한 번씩 길을 잘못 든 사람처럼 문을 여는 뜨내기들을 빼면 그랬다. 제리 맥킨의 등 뒤에 있는 홀 테이블에는 노인 세 명이 앉아 있었는데 그들의 나이를 모두 합하면 토마스 제퍼슨이 독립선언서를 작성했던 때로 돌아갈 수 있을 것 같았다.

찰리 위는 자기 술집에서 가장 비싸고 괜찮은 술을 꺼내 와 술잔에 따른 다음 테이블에 팔짱을 올려놓고 앉아 있는 제리 맥킨 앞에 놓아주었다.

"제니퍼 일은…… 정말 좋은 사람이었는데 안됐어. 좋은 사람일수록 하나님이 빨리 데려가는 법이지. 제니퍼처럼 슬픔에 빠진 좋은 사람은 더 그렇고……."

제니퍼 오브라이언과 제리 맥킨은 8년간 결혼 생활을 했고 이혼한 뒤에도 12년 동안 꾸준히 연락을 주고받으며 좋은 관계를 유지해온 사이였다. 일주일 전 그날도 제리 맥킨은 술집 자기 자리에 앉아 테이블 위에 팔을 올리고 있었는데 버번 카운티 주립병원의 응급실에서 걸려온 전화를 받은 것은 오후 5시경이었다. 병원 침대에 누워 있는 제니퍼는 지푸라기 같았다. 오래된 술 냄새와 약간의 악취가 났고 살가죽이 뼈에 달라붙어 있는 것처럼 보였다. 제리 맥킨이 옆에 있는 동안 제니퍼는 한 번도 깨어나지 못했다. 몸에 바늘을 꽂은 채 눈을 감고 몇 시간 동안 조용히 누워 있다가 영안실로 옮겨졌다.

"오늘은 그냥 마셔. 내가 주는 거니까."

찰리 위는 어쩌다가 한 번씩 정말 공짜 술이 필요한 사람에게만 공짜 술을 주었는데 찰리 위의 술집에서 공짜 술을 얻어먹을 수 있는 사람은 이미 인생이 끝장났거나 인생이 곧 끝장날 것처럼 보이는 사람뿐이었다. 제리 맥킨은 찰리 위의 공짜 술을 세 번이나 얻어먹은 몇 안 되는 사람 중 한 명이었고 그때마다 한쪽 바지 주머니 속에 코 푼 휴지처럼 뭉쳐두었던 지폐를 꺼내 보여주고는 했는데 이번에도 그렇게 했다. 다른 한쪽 주머니에는 무언가를 만지작거리지 않고는 견딜 수 없을 때를 대비해 가지고 다니는 25센트짜리 동전 네 개가 들어 있었고 제리 맥킨은 항상 동전과 지폐가 어느 쪽 주머니에 들어 있는지 헷갈려 하며 자괴감에 빠지곤 했다.

"저 돈 있어요."

"내가 그러고 싶어서 그래."

그 근방에서 찰리 위의 고집을 꺾을 수 있는 사람은 아무도 없었다. 잘 찾아보면 한 명쯤 있을지도 모르지만 그 사람이 제리 맥킨이 아닌 것만은 확실했다. 제리 맥킨은 찰리 위가 따라준 두 번째 잔을 단숨에 비운 다음 숨을 깊이 한번 들이마시고 내뱉었다.

영안실 앞에서 담당 의사처럼 보이는 남자가 서류를 들고 와 형식적인 절차일 뿐이라는 말을 세 번쯤 한 뒤 동그라미 친 다섯 곳에 서명을 해야 한다고 했다. 제리 맥킨이 건네받은 서류를 들여다보며 한 번 두 번 세 번 눈을 깜빡인 다음 볼펜이 없다고 대답하자 담당 의사는 더러운 가운을 만지작거리며 말을 더듬기 시작했는데 어쨌든 볼펜을 빌려주기는 했다. 기분이 어떻다는 것도 알고 방해할 생각도 없지만 누군가는 동그라미 친 다섯 곳에 서명을 해야 하며 지금 자기도 해야 할 일을 하는 것뿐이라고……. 의사는 변명을 늘어놓는 사람처럼 횡설수설했고 제리 맥킨은 의사가 자기 앞에서 그럴 필요가 없다고 생각했다. 제니퍼는 집에서 혼자 술을 마시다가 죽은 것뿐이었다. 혈중알코올 농도가 0.55퍼센트였고 그건 제니퍼가 의식을 잃은 후에도 얼마 동안 계속 술을 마셨다는 뜻이었다.

제니퍼는 항상 죽을 만큼 술을 마셨다. 15년 동안 죽 그랬다. 달라진 점은 더 이상 그럴 수 없다는 것뿐이었다. 어쩌면 그게 더 나았다. 네 살짜리 토미에게 아기 곰이 그려진 노란 티셔츠가 얼마나 잘 어울렸고 그날 날씨가 어떠했는지, 제리 맥킨이 한쪽 팔을 차창에 올리고 뽑은 지 한 달도 안 된 포드 자동차를 운전하고 있을 때 자기와 토미가 뒷좌석에 앉아 어떤 노래를 같이 불렀는지, 놀이동산 입구에서 풍선을 나눠주던 미키마우스와 도널드 덕을 보며 토미가 어떤 표정을 지었는지, 토미의 웃음소리가 얼마나 가벼웠고 작고 하얀 이가 얼마나 눈부셨는지, 그런 토미 옆에서 자기가 인생의 정점에 와 있다는 생각을 몇 번이나 했는지…… 제니퍼는 더 이상 그런 것들을 떠올리지 않아도 되었다.

"이야기 들었네, 제리. 내가 한잔 사고 싶은데…… 부인 일은 정말 안됐어."

이름이 스티브였나 윌리엄이었나 그랬는데, 리킹강 쪽에서 옥수수 농장을 크게 하고 있는 노인이 다가와 제리 맥킨의 등에 손을 대고 말했다.

"저 돈 있어요."

제리 맥킨은 바지 주머니 속에 코 푼 휴지처럼 뭉쳐둔 지폐를 다시 한번 꺼내 보여주었지만 그럴 필요 없다는 것을 제리 맥킨도 알고 있었다. 그냥 한번 그래 보는 것뿐이

었고 찰리 위의 술집에서 그걸 모르는 사람은 아무도 없었
다. 공짜 술을 얻어먹는 사람들의 바지 주머니 속에는 늘 뭉
쳐둔 지폐가 들어 있었고 누군가 술을 한잔 사고 싶다고 말
하면 남은 것이 그것밖에 없는 사람처럼 지폐 뭉치를 꺼내
어 보여주곤 했다. 토미를 잃어버렸을 때도 그랬다. 제니퍼
와 이혼하기로 한 날 제리 맥킨은 아주 늦은 시간에 술집 문
을 열고 들어갔는데 그때까지 죽치고 앉아 있던 몇 안 되
는 술주정뱅이 모두에게 지폐 뭉치를 꺼내어 보여주어야
했다. 술주정뱅이들은 다른 술주정뱅이의 불행에 민감했
다. 얼굴만 봐도 공짜 술이 필요한지 아닌지 단박에 알아차
렸고 등을 두드리거나 어깨를 쳐준 다음 조용히 자기 자리
로 돌아갔다.

　토미를 잃어버린 곳은 회전목마 앞이었다. 사람이 정
말 많았고 사자와 기린과 얼룩말 같은 것들이 음악에 맞
춰 돌고 있었다. 토미는 한순간에 연기처럼 사라졌다. 30
분 후에 경찰이 도착했고 그동안 놀이공원 스피커에서는 아
기 곰이 그려진 노란 티셔츠를 입은 네 살짜리 남자아이
를 찾고 있으며 아이를 보았거나 보호하고 계신 분은 공
원 사무실로 즉시 연락해달라는 방송이 계속 흘러나왔
다. 하지만 토미가 회전목마 앞에서 한순간에 연기처럼 사
라졌다는 사실에는 변함이 없었다. 거리에서 전단지를 나눠

주고 정부에 민원을 내고 경찰서를 돌아다녀도 마찬가지였다. 토미의 부재는 크고 무거운 돌덩이처럼 항상 같은 자리에 놓여 있었다.

제리 맥킨이 직장을 다섯 차례 옮기는 동안 제니퍼는 다니던 직장을 그만두고 술을 마시기 시작했다. 제리 맥킨도 술을 마시기는 했지만 제니퍼처럼 마시지는 않았다. 사실 어느 누구도 제니퍼처럼 마시는 사람은 없었다. 어느날 밤 식탁에 앉아 술을 마시던 제니퍼가 그날 회전목마 앞에서 보고 들은 것에 대해 이야기했고 더 이상 할 이야기가 없어지자 빈 술잔을 만지작거리면서 이혼하는 게 좋겠다고 말했다. 계속 생각해봤는데 그러는 게 낫겠다고……. 제리 맥킨은 남의 집 소파에 앉아 있는 사람처럼 한동안 어리둥절한 표정으로 주위를 둘러보다가 알았다고 대답했다. 현관문 손잡이를 잡고 어딘가 고장 난 것처럼 잠시 그 자리에 서 있기도 했지만 다른 말은 하지 않았다. 그때 제리 맥킨은 어떤 관계는 실처럼 한순간에 갑자기 끊긴다고 생각했다. 정확히 그렇게 생각한 것은 아니지만 그 비슷한 생각을 하고 있었다. 제리 맥킨은 문을 열고 나간 다음 소리 나지 않게 문을 닫았다. 불이 켜진 집은 한 군데도 없었고 제리 맥킨은 면허가 취소된 뒤로 차고에 처박아둔 포드 자동차에 앉아 시동을 걸었다. 아주 늦은 시간이었지만 찰리 위의 술집에는 그때까지 죽치고 앉아 있는 술주정뱅이들이 남아 있었고 제리 맥킨은 그들 모두에게 지폐 뭉치를 꺼내어 보여주어야 했다.

그 후로 제리 맥킨은 계속 직장을 옮겨 다녔고 매일 술독에 빠져 살았다. 한동안은 알코올중독자 모임에 나가기도 했는데 그곳에 가면 제리 맥킨과 처지가 비슷한 사람들이 자기 이야기를 길게 늘어놓으며 소리 내어 우는 모습을 볼 수 있었다. 제리 맥킨도 그렇게 했다. 토미와 제니퍼에 대해 이야기하며 눈물을 흘리면 사람들은 친근하지만 무례하지 않게 손뼉을 쳤고 위로의 말을 건네며 어깨를 두드리거나 손을 잡아주고는 했다. 그런 날 제리 맥킨은 찰리 위의 술집에 앉아 술을 마셨다. 다른 날도 술을 마셨지만 그런 날은 항상 끝까지 마셨고 매번 끝이 좋지 않았다. 그래도 제리 맥킨은 제니퍼처럼 집 안에 틀어박혀서 혼자 술을 마시지는 않았다. 문을 걸어 잠그고 자기가 얼마나 취했는지 말해주는 사람이 아무도 없는 곳에서 하루 종일 취해 있지는 않았다.

"제니퍼에 대해 좋게 말해줘서 고마워요."

놋쇠 종이 딸랑거리는 소리가 몇 번 들렸고 그때마다 등 뒤쪽이 시끄러워지거나 조용해지거나 했지만 제리 맥킨은 등 뒤쪽에서 일어나는 일에는 관심이 없었다. 제리 맥킨은

자기 술잔을 바라보며 해야 할 말이 방금 생각난 것처럼 불
쑥 말했다.

"뭐라고?"

"아까 제니퍼를 좋은 사람이라고 했잖아요. 요즘은 제니
퍼에 대해 그렇게 말하는 사람이 없어요."

찰리 위는 제리 맥킨을 한동안 가만히 쳐다본 뒤에 다시
아무 말 없이 술잔을 닦았다. 때로는 말을 하지 않는 것이 말
을 하는 것보다 나았다. 그걸 아는 사람이 많지 않아서 그렇
지 사실 항상 그랬다. 술주정뱅이들을 상대할 때는 요령이
필요했다. 말을 하기 싫거나 말할 시기를 놓쳤거나 할 말이
없을 때는 술잔을 닦으면 되었다.

"정말이에요. 제니퍼도 고마워할 거예요."

찰리 위의 술집에 드나드는 사람들은 이미 잘나가던 시절
이 지났거나 한 번도 잘나간 적이 없는 사람들뿐이었다. 찰
리 위는 30년 동안 그런 사람들에게 술을 내주었고 뒤치다
꺼리까지 해주었지만 끝이 좋은 사람을 본 적은 거의 없었
다. 술주정뱅이들은 대부분 끝이 그랬다. 술을 마시다가 시
궁창에 처박히거나 바닥에 쓰러졌고 그러면 그걸로 끝이었
다. 며칠째 같은 옷을 입고 다니고 몸에서는 항상 오래된 술
냄새가 나고 계속 손이 떨리고 아침마다 어제 자기가 어디
서 무얼 했는지 그런 것들이 하나도 생각나지 않는다는 것

을 깨닫게 될 때까지 계속 생각해야 하고……. 그 모든 것이 정말 지긋지긋하게 느껴질 때쯤 자기가 완전히 끝났다는 걸 알게 되었다. 제리 맥킨도 그랬다. 팔짱을 낀 채 테이블에 앉아 다섯 시간째 술을 마시고 있었고 잊을 만하면 한두 마디씩 하면서 그때마다 울거나 웃거나 했는데 그건 한참 전에 인생 종 친 인간들이나 하는 짓이었다.

"내일이 안 올 것 같아요."

"내일 무슨 일 있어?"

"내일이 안 올 것 같다니까요."

제리 맥킨은 찰리 위를 보지 않으면서 찰리 위에게 말했다. 제리 맥킨은 술이 한 잔 들어가면 아무도 바라보지 않았고 그런지 꽤 오래되었다. 낡은 액자나 그 술집에서 가장 봐줄 만한 술 선반을 멍하니 바라보며 그런 것들에게 말을 거는 것 같았다.

제리 맥킨은 영안실 복도에 서서 동그라미 친 다섯 곳에 서명을 한 뒤 의사에게 볼펜과 서류를 돌려주며 고맙다고 말했다. 고맙다는 말은 적절하지 않은 것 같았지만 어찌 되었든 제리 맥킨은 그 말을 했고 그것 때문에 부끄럽다는 생각이 들었다. 어쩌면 그냥 말이 하고 싶어서 그랬는지도 몰랐다. 아무 말도 안 하는 방법도 있었다. 제리 맥킨은 자기가 고맙다고 말한 것에 대해 화가 나서 딱딱한 표정으로 그 자리에 서 있었고 의사는 부인 일은 정말 유감이라고 말한 뒤 어깨를 한 번 들썩이고는 가버렸다. 제리 맥킨은 점점 멀어지는 의사의 뒷모습을 지켜보며 생각했다. 세상은 원래 그랬다. 한 번도 공평한 적이 없었고 누가 얼굴에 침을 뱉은 것처럼 모욕적이었다. 토미가 실종된 뒤로는 줄곧 그랬다. 영안실에 누워 있는 제니퍼를 보면서도 그 생각을 했다. 세상은 원래 엿 같은 곳이고 점점 더 엿 같아지는 정말 엿 같은 곳이라고.

"안녕하세요, 맥킨 씨. 저는 핑커톤 탐정사무소의 라일리 로스인데요."

제니퍼의 장례식 다음 날 제리 맥킨은 늦은 시간까지 전날 입은 검은 양복 차림 그대로 자기 침대에 누워 있다가 한 통의 전화를 받고 일어났다. 재킷에는 오물이 묻어 있었고 어디선가 지린내가 심하게 났는데 자기가 입고 있는 바지가 가장 의심스러웠고 왜인지 모르지만 발목에 묶여 있는 넥타이는 개가 물어뜯은 것처럼 너덜너덜했고⋯⋯. 그때 제리 맥킨은 탐정사무소의 전화를 받아본 적 있는 다른 사람들과 완전히 똑같은 생각을 하고 있었다. 지금까지 벌어진 엿 같은 일을 전부 합친 것보다 훨씬 더 엿 같은 일이 벌어질지도 모른다고.

"부인께 연락이 안 되네요⋯⋯. 추가 비용이 발생했는

데요……. 원하시면 비용 명세서를 열람하실 수도 있어요……. 물론 불법 주차 딱지를 세 장이나 뗀 건 저희 직원 잘못이 맞지만 아드님을 찾는 과정에서 발생한 비용이라서요."

라일리 로스가 이게 얼마나 민감한 문제이고 이 문제에 대한 회사의 방침이 어떤지 필요 이상으로 길게 설명하는 동안 제리 맥킨은 완전히 딴생각에 빠져 있었다. 제리 맥킨은 제니퍼를 생각했고 토미를 생각했고 방금 들은 이야기에 관해 생각했다.

"토미를 찾았나요?"

"부인께서 말씀 안 하셨어요? 며칠 전에 보고서를 보내드렸는데……. 기다려보세요. 부인께도 무슨 생각이 있으시겠죠."

추가 비용은 570달러였고 현재로서는 라일리 로스가 제리 맥킨에게 그 돈을 받아내는 것이 핑커톤 탐정사무소의 가장 확실한 방침 같았다. 제리 맥킨이 회사의 방침에 따르겠다고 말하자 라일리 로스는 살면서 계속 거절만 당한 사람처럼 기뻐했고 뜻밖의 제안을 했다.

"필요하시면 보고서를 한 부 보내드릴 수도 있어요. 부인에게 보내드린 보고서와 완전히 똑같은 보고서로요."

"그래 주시면 고맙긴 한데…… 그래도 되나요?"

"종이 한 장 출력하는 건데 안 될 게 뭐 있겠어요?"

라일리 로스는 그렇게 말하고 전화를 끊었다. 제리 맥킨은 한동안 멍하니 침대에 앉아 라일리 로스가 한 말을 생각했다. 라일리 로스에게는 종이를 한 장 출력하는 것이 맞았다.

"그만 마셔. 많이 취했어."

"저 돈 있어요, 아저씨."

"알아. 그 얘기가 아니라는 거 알잖아."

"알아요."

제리 맥킨은 내일 점심 약속 때문에 많이 마시고 싶어도 그럴 수 없다고 툴툴댔지만 사실 자기가 이미 마실 만큼 마셨다는 것을 알고 있었다. 내일은 할 일이 많았다. 일어나는 대로 11달러에 면도까지 해주는 단골 이발소에 가야 했고 오전 중에 세탁소에 들러 양복과 셔츠도 찾아와야 했다.

"한 잔만 더 마시고 갈게요."

제리 맥킨은 찰리 위가 쫓아내려고 할 때마다 정말 딱 한 잔만 더 마시고 일어날 것처럼 말했는데 그러면 찰리 위가 한두 번은 눈감아 준다는 것을 알았기 때문이었다. 그래서 제리 맥킨은 찰리 위가 그만 마시라고 하거나 건강을 걱정하는 척하면서 술을 주지 않으려고 하거나…… 아무튼 곧 쫓아낼 것 같은 분위기를 풍길 때마다 정말 딱 한 잔만 더 마시고 일어날 사람처럼 말했고 그 말이 통하지 않을 때까지 계속 술을 마시다가 쫓겨났다. 하지만 그날 제리 맥킨은 정말 딱 한 잔만 더 했고 그런 후에는 두 번 다시 술을 쳐다보지도 않을 사람처럼 자리에서 일어났다.

"바로 집에 들어가. 밖에서 자면 들개가 자네 거기를 핫도 그인 줄 알고 물지도 모르니까."

"아저씨는 아저씨 거기나 간수 잘하세요……. 잘 마셨어요. 갈게요."

술집 문이 열리고 닫히면서 삐걱거리는 소리와 딸랑거리는 소리가 났다. 찰리 위는 제리 맥킨이 앉았던 자리를 행주로 닦으면서 내일 정말 그에게 약속이 있을지도 모른다고 생각했다. 약속이 있는 척하는 것 같지는 않았다. 몇 번 그랬던 적이 있지만 이번에는 아닌 것 같았다. 찰리 위는 술잔과 술병과 행주를 아주 오래전에 정해둔 자리에 하나씩 돌려놓으며 제리 맥킨에게 약속이 있다면 누구와 약속을 했는지 물어볼 걸 그랬다고 생각했고 곧 그 생각을 잊었다.

만약 토미가 살아 있고 어떤 동네에서 산다면 제리 맥킨은 그 동네가 아주 멀 거라고 생각했다. 토미가 사는 동네는 제니퍼와 자기가 갈 수 없을 만큼 먼 곳에 있어야 했다. 그곳에서 토미는 전혀 다른 스타일의 옷을 입고 전혀 다른 형태의 집에서 전혀 다른 언어를 사용하는 사람들과 전혀 다른 모양의 물건들에 둘러싸여 살고 있을 거라고 생각했다. 하지만 라일리 로스가 보낸 보고서에 따르면 그 동네는 파리스에 있었고 파리스는 버번 카운티에서 차로 한 시간도 안 걸리는 곳이었다. 에어컨과 헤드라이트 한쪽이 고장 난 포드를 끌고 그 동네로 가는 동안 제리 맥킨은 주유소에 두 번 들렀는데 한 번은 그냥 주유만 했고 한 번은 맥도날드 매장에 앉아 한 모금만 마셔도 정신이 번쩍 드는 커피를 세 잔이나 마시며 계속 시계를 들여다봤다. 시간은 느리거나 빠르게 흐르는 것 같았다. 아무튼 제대로 흐르지 않는 것은 확실했다.

제리 맥킨이 보기에 그 동네는 어쩐지 진짜 같지 않았다. 길고양이들이 쓰레기통을 뒤지고 전봇대나 길모퉁이 근처에서는 항상 지린내가 나고 가끔씩 정말 머리끝까지 화가 난 늙은 백인 남자의 욕을 제대로 들을 수 있는, 제리 맥킨이 사는 동네에 비하면 그랬다.

거리는 방금 깐 침대보처럼 깨끗하고 반듯했다. 며칠째 그 자리에 서 있는 대형트럭이나 돌멩이처럼 딱딱하게 굳은 개똥 같은 것은 보이지 않았다. 길 양옆에 늘어선 주택들은 완전히 똑같거나 달라도 정말 약간만 달랐는데 모두 이층집이었고 낮은 울타리 너머로 인공 잔디처럼 잘 손질된 잔디밭이 깔려 있었다. 제리 맥킨은 깜빡이를 켜고 그중 한 집 앞에 차를 세운 다음 자기가 찾는 집이 그 집이 맞는지 주소를 확인하기 위해 한동안 핸들을 잡고 운전석에 앉아 있었다. 그 집이 맞았다.

관리는 잘되었지만 오랫동안 아무도 타지 않은 것 같은 낡은 그네가 잔디밭 뒤쪽에 보였고 현관과 연결된 포치에는 안락의자 두 개가 거리와 마주 보며 놓여 있었다. 주름이 단정하게 잡히도록 신경 써서 묶어놓은 커튼과 붙어 있어야 할 곳에 제대로 붙어 있는 홈통과 창가에 가지런히 내놓은 화분과 다른 집보다 훨씬 바짝 깎아놓은 잔디밭과…… 제리 맥킨은 차 안에 앉아서 그런 것들을 하나하나 바라보았다. 그런 것들은 하루아침에 돈으로 살 수 있는 것이 아니었다. 오랜 시간을 들여서 꾸준히 마음을 써야 그렇게 된다는 것을 제리 맥킨도 알고 있었다.

어느 순간 커튼이 가볍게 흔들리고 누군가 창문 너머로 밖을 내다보는 것 같더니 곧 꼿꼿한 허리에 자세가 좋고 키가 큰 백발의 남자가 현관문을 열고 나왔다. 남자는 깨끗하게 세탁한 면바지에 하얀색 티셔츠를 입고 있었는데 자기 집 앞에 서 있는 제리 맥킨의 구식 포드 자동차를 눈앞의 총구만큼이나 뚜렷하게 인식하고 있는 것 같았다. 제리 맥킨은 깜빡이를 끄고 차에서 내려 남자를 맞이했다. 남자는 웃으려고 노력했지만 그게 뜻대로 잘 안 되는 사람처럼 웃고 있었고 제리 맥킨에게 악수를 청하며 손을 내밀 때도 같은 표정을 짓고 있었다. 남자의 손은 죽은 물고기처럼 차갑고 축축하고 미끌거렸다.

"커티스 맥그리거입니다. 만나서 반갑습니다."

"제리 맥킨입니다."

라일리 로스가 보낸 보고서는 그녀의 말처럼 정말 종이 한 장이 다였고 그곳에는 꼭 필요한 내용만 간단하게 기재되어 있었다. 돈을 더 내면 더 많은 내용을 더 자세하게 알 수 있을지도 몰랐지만 제리 맥킨이 때가 타고 냄새 나고 물건을 치워야 앉을 수 있는 패브릭 소파에서 읽은 보고서는 그랬다. 제리 맥킨은 보고서에 있는 몇 개의 이름과 몇 개의 숫자를 한동안 물끄러미 들여다보다가 갑자기 해야 할 일이 생각난 사람처럼 전화를 걸었다. 처음에는 여자가 받았는데 제리 맥킨이 토미의 이야기를 꺼내자 5초쯤 아무 말이 없다가 일방적으로 전화를 끊었다. 제리 맥킨은 다시 같은 번호로 전화를 걸었다. 두 번째는 남자가 받았다. 남자는 균형감 있는 인상을 심어주려고 노력했고 거의 성공한 것처럼 보였다. 먼저 점심을 같이 먹자는 이야기를 꺼낸 것도 남자였다. 그때 남자는 실패한 웃음이

나 손에 밴 땀 같은 것을 보여주지 않아도 되었다.

"제 아내 조안입니다."

제리 맥킨이 집 안에 들어서자 꽃병이 놓인 식탁이 보였고 딱딱한 표정의 나이 든 여자가 그를 뚫어져라 바라보고 있었다. 여자는 면 소재의 홈드레스를 입고 주방에 서 있었는데 제리 맥킨이 걸을 때마다 그쪽으로 몸을 틀었고 겉옷을 벗어 옷걸이에 걸 때도 그랬고 자기가 그러는 것을 숨길 생각이 조금도 없는 것 같았다. 말은 거의 남자가 했다. 여자는 말없이 모든 것을 바라보기만 했다. 한 번도 자리를 옮긴 적이 없는 가구처럼 아주 오랫동안 그렇게 살아온 사람들 같았다.

"마이크가…… 아이가 좀 늦는다네요. 앉으세요. 곧 올 겁니다."

여자는 계속 주방에 서서 제리 맥킨을 지켜보고 있었다. 남자의 안내를 받으며 거실로 갈 때도 소파에 앉아 몸을 몇 번 뒤척일 때도 여자는 제리 맥킨에게서 한 번도 눈을 떼지 않았다. 그러지 않으면 제리 맥킨이 무언가를 훔쳐 갈 거라고 철석같이 믿는 것 같았다.

"저는 마실 만한 게 있는지 좀 찾아봐야겠네요."

주방으로 간 남자가 조심스럽게 여자의 팔을 만지며 괜찮은지 물었다. 여자가 괜찮다고 대답하자 남자는 여자가 전혀 괜찮지 않다는 것을 이제 막 알아챈 사람처럼 걱정스러운 표정을 지었는데 따지고 보면 그건 울상에 가까웠다. 그런 다음 남자는 제리 맥킨이 아직 그곳에 앉아 있는지 봐두어야겠다는 듯 그쪽을 힐끗 바라보고는 냉장고 안을 뒤지기 시작했다.

제리 맥킨은 소파에 앉아 몇 번 더 몸을 뒤척이면서 토미가 마이크라고 불리는 것에 대해 생각하고 있었다. 토미라고 불러도 대답하지 않을 토미에 대해 생각했고 제리 맥킨은 그 생각을 멈출 수 없었다.

"방학에는 마트 물류 창고에서 일해요. 친구랑 같이요. 그맘때 사내놈들이 어떤지 아실 겁니다. 힘을 뺄 필요가 있겠다 싶어서 저도 그러라고 했죠. 그나저나 버드와이저뿐이네요. 다른 것도 있기는 한데…… 혹시 오렌지주스 좋아해요?"

"아뇨. 버드와이저가 좋습니다."

남자는 자기가 부엌 냉장고에 맥주를 넣어두고 마시는 사람이 아니라는 점을 분명히 하기 위해 몇 마디 더했고 제리 맥킨은 남자가 왜 그런 거짓말을 하는지 알 수 없었지만 그렇다고 그가 진짜 술꾼일 리는 없다고 생각했다. 진짜 술꾼은 절대 자기 집 거실에서 실내화를 신지 않았다. 버드와이저를 유리잔에 따라 마시지도 않았고 입에 묻은 맥주 거품을 반듯하게 접힌 손수건으로 닦지도 않았다. 남자는 갑자기 소파에서 일어나 TV를 켰다 끈 다음 다시 소파에 앉아 맥주를 마셨다.

"이번에 아이가 스탠퍼드대학에 합격했어요. 그 대학은 저와 아내가 나온 곳이기도 하죠. 합격 소식을 듣고 얼마나 기뻤는지 모릅니다. 아이가 오래전부터 바라온 대학이거든요."

밖에서 아이들이 웃고 떠들며 지나가는 소리가 들렸고 남자는 계속 자기 맥주잔을 만지작거리며 토미의 이야기를 했다. 그게 공평하다고 생각하는 것 같았다. 아니면 그냥 할 이야기가 없는 상황을 견디지 못하는 것일 수도 있었다.

"8월부터 기숙사에 들어가요. 집에서 다니면 좋겠지만 캘리포니아에 있는 대학을 켄터키에서 다닐 수는 없으니까요. 맥킨 씨도 알잖아요. 그 나이 때는 집에서 나가 사는 게 어떤 건지 쥐뿔도 몰라요. 좁아터진 기숙사 방에서 다른 사람의 발 냄새가 어떤지 맡아봐야 집이 얼마나 좋은 곳인지 알게 되죠. 나도 그랬고 맥킨 씨도 그랬고…… 사내놈들은 다 똑같은 것 같아요. 죽을 때까지 철이 안 들죠. 한번은 좋아하는 여자애가 있는데 집에 데려와도 되느냐고 묻더군요. 그게 아마 추수감사절 다음 날이었을 거예요. 아니면 그다음 날이었던가……. 맞지, 여보?"

여자는 아무 말도 듣지 못한 사람처럼 식탁 의자에 앉

아 자기 손바닥만 들여다보고 있었다. 마치 손바닥에 반쯤 지워진 전화번호가 적혀 있고 어떤 일 때문에 반드시 그 번호로 전화를 걸어야만 하는 사람 같았다. 제리 맥킨이 맥주는 자기가 꺼내 마시겠다고 말하며 소파에서 일어날 때도 그랬다. 여자는 돌처럼 딱딱하게 굳어 있었다. 제리 맥킨이 등 뒤로 지나갈 때 여자는 재빨리 주먹을 쥐었다. 제리 맥킨에게 손바닥을 보여주기 싫은 것 같았다. 어쩌면 자기가 보고 있는 것을 제리 맥킨에게 보여주기 싫은 것일지도 몰랐다.

"이렇게 늦은 적이 없는데 이상하네요."

남자는 아이에게 전화를 두 번 했고 두 번 다 전화를 안 받는다고 했다. 남자는 소파에서 일어나 다시 TV를 켰다. 이번에는 TV를 끄지 않고 소파로 돌아와 앉았다. 남자와 제리 맥킨은 재방송되는 드라마를 보면서 맥주를 마셨다. 둘 다 이미 본 드라마였지만 그렇다고 말하는 사람은 아무도 없었다. 그런 말을 하면 채널을 바꾸기 위해 대화를 하거나 TV를 꺼야 할 텐데 그건 둘 다 원하지 않는 상황이었다. 이웃집에서 잔디를 깎고 있었다. 잔디깎이 돌아가는 소리와 위험하니까 다른 곳에 가서 놀라고 소리치는 노인의 목소리가 들렸다.

"아이 방은 2층입니까?"

맥주 때문에 배가 불렀고 화장실에 세 번이나 다녀왔고 아까부터 방귀가 나오려는 것을 간신히 참고 있었고 다리를 벌린 채 남의 집 소파에 앉아 TV를 보는 것이 손에 자기 오줌이 묻는 것만큼이나 아무렇지 않았고…… 제리 맥킨은 자기가 왜 그곳에 왔는지 생각했다. 원래는 점심을 같이 먹으려고 했지만 그곳에 있는 세 사람 중에서 그럴 생각이 있는 사람은 아무도 없는 것 같았다. 남자는 아까부터 밑천이 다 떨어진 사람처럼 입을 다문 채 가끔 맥주를 홀짝거리며 TV를 보고 있었는데 정말 TV를 보고 있는지 아닌지 알 수 없었고 그냥 그러는 척하는 것일 가능성이 가장 컸다. 여자는 여전히 냉동 칸에서 1년쯤 깡깡 언 고깃덩어리처럼 딱딱한 표정으로 자기 손바닥을 들여다보고 있었고 그게 다였다.

"아이 방을 한번 봐도 될까요?"

제리 맥킨은 자기가 할 말에 대해 서른 번쯤 생각한 뒤에 TV 화면을 들여다보며 그 말을 했다. 원래는 그러지 않았지만 그곳은 자기 집이 아니었고 TV 소리밖에 안 들렸고 그곳에 있는 모든 것이 살짝만 만져도 깨질 것 같았고 아무도 제리 맥킨이 그곳에 있는 것을 바라지 않는 것이 거의 확실했고…… 그래서 그렇게 했다.

남자는 제리 맥킨이 도덕적으로 비난받아야 할 말을 했거나 대단히 부적절한 단어를 사용한 것처럼 5초쯤 제리 맥킨의 얼굴을 빤히 바라보다가 갑자기 말뜻을 알아들은 사람처럼 눈을 깜빡이며 말했다.

"그럼요…… 네. 물론이죠."

남자는 그럼 같이 올라가보자고 말한 뒤에 손바닥으로 무릎을 딱 소리 나게 내리쳤다. 하지만 소파에서 일어나면서 손에 들고 있던 맥주를 쏟았고 그때부터 제정신이 아닌 것처럼 떠들어댔는데 원래 자기는 옷에 맥주나 흘리는 사람이 아니라는 말과 옷을 갈아입을 때까지 잠시만 기다려달라는 말을 하려고 애쓰는 것 같았다. 남자는 몸에 불이 붙은 사람처럼 손발을 흔들면서 말을 했고 어떤 말을 할 때는 거의 울상을 지으며 그 말을 하기도 했다.

"방을 보여드려야 하는데…… 바지만 갈아입으면 될 것 같네요. 셔츠는 말짱해요. 여기 잠깐 앉아 계시면 제가 바지를 얼마나 빨리 갈아입는지 보게 되실 겁니다. 아마 맥킨 씨가 아는 사람들 중에서……."

"그러실 필요 없습니다. 어느 방인지만 알려주시면 됩니다."

"정말 잠깐이면 됩니다."

"어느 방인지만 알려주세요."

2층으로 올라가는 계단은 모두 열다섯 개였는데 발을 디

딜 때마다 나무 틀어지는 소리가 나기는 했지만 계단 폭이 넓고 난간이 있어서 편안해 보였다. 아이 방은 2층 두 번째 방이었다. 문에는 아주 오래전에 누군가 낙서를 했고 다른 누군가 그걸 지우려고 노력한 흔적이 여러 곳에 남아 있었고 제리 맥킨은 테이프를 붙였다 떼어낸 자국이나 파이고 눌리고 긁힌 흠집 같은 것들을 바라보면서 한동안 그 자리에 서 있었다. 그곳에는, 원래 제리 맥킨과 제니퍼의 것이었지만 제리 맥킨과 제니퍼가 한 번도 가져보지 못한 시간과 감정과 기억들이 무거운 돌멩이처럼 조용히 가라앉아 있었다. 문은 잠겨 있지 않았다. 제리 맥킨은 천천히 문을 열고 들어갔다.

아이의 방은 제리 맥킨이 아주 오래전부터 생각했던 아이의 방과 거의 비슷했다. 방바닥에 풋볼 공이 돌아다니고 취향을 알 수 있는 브로마이드가 벽에 붙어 있고 책상 밑에는 몇 번 들여다보지도 않은 천체망원경이 박스에 담긴 채 처박혀 있고 옷장이나 책상 서랍들은 누가 일부러 그렇게 한 것처럼 죄다 조금씩 열려 있고 페달 쓰레기통에는 콜라 캔과 포테이토칩 봉지가 가득 쌓여 있고…… 토미는 침대에 앉아 있다가 제리 맥킨이 들어오자 잠깐 자리에서 일어났고 곧 자기가 한 행동이 적절치 못했다는 것을 알아챈 사람처럼 다시 침대에 앉았다.

제리 맥킨은 토미를 보자마자 그게 토미라는 것을 단박에 알아볼 수 있었다. 그것은 불에 덴 것처럼 강하고 즉각적인 감각이었다. 더 많은 시간이 지나고 전혀 예상하지 못한 장소에서 아주 잠깐 스쳐 간다 해도 토미가 토미라는 것을 알 수 있을 것 같았다. 제리 맥킨은 말을 더듬지 않기 위해 노력하면서 예전에도 말을 더듬지 않기 위해 노력한 적이 몇 번 있기는 했지만 지금처럼 필사적으로 말을 더듬지 않기 위해 노력한 적은 한 번도 없었다는 생각을 하며 말했다.

"네가 마이크냐?"

"네."

"내가 누군지 아니?"

"네. 들었어요."

토미는 고개를 숙이고 있었고 제리 맥킨이 방에서 나갈 때까지 한 번도 고개를 들지 않았다. 제리 맥킨의 기억에는 그랬다. 토미는 작고 중요한 물건을 잃어버린 사람처럼 방바닥만 쳐다보고 있었다.

"나는 네가 방에 있는 줄 몰랐구나. 허락 없이 들어올 생각은 없었다."

"괜찮아요."

등 뒤의 방문이 열려 있었고, 들어올 때 완전히 닫지 않은 것 같았고, 1층에서 TV 소리와 같은 구간을 왔다 갔다 하는 발소리와 물건끼리 부딪치는 소리와 숨기려고 했지만 숨기지 못한 소리들이 들려왔다. 누군가 울고 있었다. 제발 울지 말아요. 맥킨 씨가 듣겠어요. 낮고 빠르게 속삭이는 소리도 들렸다.

"얼마 전에 엄마가 죽었단다."

"그것도 들었어요."

제리 맥킨은 오른쪽 바지 주머니에 손을 넣고 25센트짜리 동전 네 개를 만지작거렸다. 동전을 만지작거리는 것이 책임감 있는 어른의 행동과는 거리가 멀다고 생각했지만 동전을 만지작거리지 않고는 견딜 수 없었다. 제리 맥킨은 토미의 방에 우두커니 서서 토미가 어떤 사람인지 생각하며 주머니 속의 동전을 계속 만지작거렸다.

"엄마는 늘 네 생각만 했다. 나도 늘 네 생각을 했지만 엄마는 더 많이 네 생각을 했다. 난 네가 그걸 알아주었으면 한다."

"네."

창문 너머로 해가 들었다. 길 건너편 집이 내다보였고 멜빵바지에 밀짚모자를 쓴 노인이 망가진 울타리를 손보고 있었다. 노인은 자전거를 탄 아이들이 소리를 지르면서 지나가자 손에 들고 있던 망치를 머리 위에서 흔들며 아이들의 목소리를 다 합친 것보다 더 큰 목소리로 소리를 질렀다. 잡히면 그러고 돌아다닌 걸 단단히 후회하게 해주마. 그런 다음 다시 망가진 울타리를 손보기 시작했다.

토미의 방은 땅속 깊이 묻힌 것처럼 조용했다. 제리 맥킨은 동전 짤랑대는 소리가 찰리 위의 술집 문에 매달린 놋쇠 종소리만큼 크게 들리자 소리 나지 않게 바지 주머니에서 손을 뺐다.

"사랑한다, 토미. 네가 무척 보고 싶었다."

토미는 아무 말도 하지 않았다. 원래 말이 없는 성격이라 그랬을 수도 있지만…… 원래 말이 없는 성격이라 그러는 것 같지는 않았다. 토미는 침대에 앉아 꼼짝도 하지 않았고 바닥에 동전을 떨어트린 사람처럼 고개를 숙이고 있었고 어깨가 가늘게 떨렸고 입을 벌린 채 숨을 쉬며 가끔씩 침을 삼키고 있었다. 몇 번은 어떤 말을 하려고 노력하는 것 같기도 했지만 한 번도 성공하진 못했다. 제리 맥킨이 괜찮냐고 묻고 다음에 만나면 훨씬 괜찮을 거라고 말한 뒤 다시 한 번 정말 괜찮냐고 물을 때도 토미는 말이 없었다.

"미안하구나……. 또 만나러 오마."

제리 맥킨은 토미를 5초쯤 바라보다가 문 쪽으로 걸어갔고 뒤돌아서 다시 5초쯤 바라보다가 조용히 문을 닫았다. 방에서 아주 많은 시간을 보내고 나온 것 같았다. 모든 것이 한

순간에 지나간 것 같기도 했다. 제리 맥킨은 자기가 늙고 지쳤다는 것을 방금 알아차린 노인처럼 한동안 토미의 방문을 바라보고 서 있다가 계단 손잡이를 잡고 천천히 1층으로 내려갔다.

"설명이 필요한 상황이라는 건 압니다. 맥킨 씨가 충분히 오해하실 수 있다는 것도요. 하지만 일이 이렇게 된 것은 마이크의 잘못이 아닙니다. 맥킨 씨가 이 집에 머무는 동안 자기 방에 있겠다고 한 건 마이크지만 일이 이렇게 된 것은 마이크의 잘못이 아니에요."

남자는 계단 밑에 서서 제리 맥킨이 내려오는 모습을 지켜보고 있었다. 빨갛게 부풀어 오른 눈두덩이가 물기에 젖어 번들거렸다. 남자는 말을 할 때마다 필요 이상으로 많이 움직였고 크게 움직였는데 자기도 자기가 그러는 것에 당황한 것처럼 보였다. 남자는 연극을 하는 사람처럼 어깨를 한 번 들었다 놓았다 하며 말을 계속했다.

"아이는 아직 준비가 되지 않았다고 했습니다. 시간이 더 필요하다고 생각하는 것 같았죠. 하지만 맥킨 씨도 아시다시피 이런 일은 시간을 끈다고 준비가 되는 게 아니잖아요."

1층으로 내려온 제리 맥킨은 옷걸이에 걸어둔 겉옷을 걸쳐 입었다. 운전을 할 수 있을지 어떨지 알 수 없었다. 손이 떨렸고 입에서 술 냄새가 났고 다리가 휘청하기도 했지만…… 운전은 할 수 있을 것 같았다.

"어떤 일들은 그렇습니다. 시간을 끌수록 감당하기가 더 힘들어지죠. 그렇게 생각해서 맥킨 씨를 초대한 건데……. 제 생각이 틀렸는지도 모르겠습니다. 어쩌면 마이크의 말처럼 아직 준비가 안 되었는지도 모릅니다. 마이크에게도 우리 부부에게도 맥킨 씨에게도…… 죄송합니다, 맥킨 씨. 정말 죄송합니다."

남자가 갑자기 바닥에 주저앉아 울기 시작했다. 제리 맥킨은 남자를 지나쳐 현관으로 걸어갔고 그렇게 하는 것이 마치 세상에서 가장 자연스러운 일인 것처럼 그렇게 했다. 25센트짜리 동전 네 개가 제리 맥킨의 오른쪽 바지 주머니 안에서 짤랑대고 있었다. 여자는 여전히 식탁 의자에 앉아 있었고 그곳에서 일어날 생각이 없는 것처럼 보였다. 여자는 더 이상 손바닥을 들여다보지 않았다. 남자와 제리 맥킨을 번갈아 바라보다가 제리 맥킨을 보며 낮은 목소리로 말했다.

"아이는 길 위에 서서 울고 있었어요. 한 손에는 풍선에 묶인 실을 쥐고 있었고 더러운 얼굴에는 흙탕물이 흐른 것처럼 눈물 자국이 나 있었죠. 경찰서에 데리고 가야 한다고 생각했지만 당장은 그럴 필요가 없을 것 같았어요. 우리는 아이를 집으로 데리고 와 씻기고 먹였습니다. 지쳐서 잠든 아이의 모습이 어찌나 천사 같던지 눈을 뗄 수가……. 부디 우리를 용서하세요, 맥킨 씨."

제리 맥킨은 5초쯤 제자리에 서 있다가 다시 현관 쪽으로 걸어갔다. 이제 여자는 제리 맥킨을 보지 않았다. 제리 맥킨이 5초 동안 서 있었던 곳을 고집스럽게 바라보며 오래전부터 준비해온 말을 하려는 사람처럼 말했다.

"그러지 않으셔도 되지만 주님이 그러셨듯이 부디 우리를 용서하세요."

제리 맥킨은 대답하지 않았다. 말없이 신발장에서 구두를 찾아 신은 후에 현관문을 열고 밖으로 나갔다. 다음에는 꼭 점심을 같이 먹었으면 좋겠다고 소리치는 여자의 목소리가 들렸지만 여자가 정말 그렇게 말했는지는 확실하지 않았다. 포드 자동차 앞 유리에는 켄터키주에서 발행한 불법 주차 딱지가 붙어 있었고 제리 맥킨은 차 문을 닫고 운전석에 앉아 조금 전까지 자기가 머물렀던 집을 바라보았다. 2층 방 커튼이 살짝 흔들린 것 같았는데 잘못 본 것일 수도 있었다. 잘못 본 것일 가능성이 더 높았다. 하지만 아닐 수도 있었다. 제리 맥킨은 운전석 등받이에 몸을 기댄 채 눈을 감았다. 해가 눈꺼풀 위를 비추었고 먼지 냄새와 오래된 차 안에서 나는 냄새가 났고 묵은 잠이 밀려왔고 조

용히 흔들리며 바닷속 깊이 가라앉는 것 같았고…… 제리
맥킨은 2층 방 커튼 뒤에 토미가 서 있는 모습을 떠올리며
잠이 들었다.

우주비행사의

밤

0.

　그날 캐럴은 몸을 움직일 때마다 약간씩 삐걱대는 소파에 앉아 자기 나이가 일흔여섯 살이라는 것에 대해 곰곰이 생각하고 있었고 전화벨만 울리지 않았다면 자기 나이와 관련된 생각을 계속하면서 한 시간쯤 더 소파에 앉아 있을 생각이었다.

　―여보세요.

　거실은 오래전에 버려진 폐광처럼 어두웠고, 커튼 틈새로 비치는 햇빛 속에서 먼지들이 떠다녔고, 아주 작은 소리들이 뼈마디를 두드리는 것처럼 전부 크게 들렸고…… 캐럴은 전화벨 소리를 처음 듣는 사람처럼 한동안 전화기를 바라보다 수화기를 귀에 가져다 댔다.

—안녕하세요, 테일러 부인. 저는 고다드우주비행센터의 매기 브라운인데요⋯⋯. 주소가 그린벨트로 되어 있는데 아직 그곳에 사세요?

50년 전이라면 그랬다. 너무 오래전이라 기억나는 일이 별로 없기는 했지만 그때 캐럴은 그린벨트에 살았고 마크 테일러의 아내였다. 고다드우주비행센터는 마크가 일하는 곳이었고 마음만 먹으면 걸어갈 수 있는 거리라 마크는 매일 걸어서 그곳에 가곤 했다. 그리고 그때는 삶이 다른 어느 때보다 단순하고 선명해 보였다. 시간은 명품 코너에 서서 웃고 있는 점원처럼 호의적이었고 캐럴은 입이 쩍 벌어질 만큼 잘 차려입고 백화점 안을 돌아다니는 기분이었다.

—무슨 일이죠?

캐럴은 자기 목소리에 어떤 감정이 실려 있고 그 감정이 상대를 위협하거나 불쾌하게 만들 수 있다는 사실을 인정하지 않을 수 없었다. 지금 통화하고 있는 매기는 50년 전에 태어나지도 않았을 텐데⋯⋯. 50년 전에 있었던 일 때문에 매기를 괴롭히는 건 공정하지 못한 일 같았다. 하지만 어떤 감정은 50년보다 유통기한이 길었다. 잊고 싶은 감정일수록 더 그런 것 같았고 고다드우주비행센터와 관련된 거의 모든 감정이 바로 그랬다. 캐럴은 50년 전에 걸려온 전화와 그 전화가 불러낸 감정을 잊지 못했다. 지금은 이름도 기억나지 않는 남자의 목소리. 책임 있는 자리에 앉아 있는 사람의 목소리였다.

─안타까운 소식을 전해드리게 되어 유감입니다, 테일러 부인.

캐럴은 한동안 남자가 무슨 말을 하려고 전화를 했는지 알 수 없었다. 무슨 말을 하는지도 몰랐고. 캐럴은 우주선 사고나 소수점 다섯 자리 이하에서 발생한 계산 착오, 궤도 이탈 같은 말이 어떻게 마크와 연결될 수 있는지 이해할 수 없었다. 남자는 우주 미아라는 말을 한 번도 사용하지 않고 마크가 우주 미아가 되었다는 말을 했다. 마크의 죽음에 대해서도 몇 마디 암시만 했는데 목소리에서 잘 다린 양복과 진한 스킨로션 냄새가 났다.

─추서 형식으로 자유의 훈장이 수여되고 버지니아주 알링턴에 기념비가 세워질 겁니다. 아, 그리고 내일쯤 연금과 관련해서 담당 직원의 전화를 받게 되실 거고요.

남자가 말하는 동안 캐럴은 전화기를 떨어뜨리지 않기 위해 많은 노력을 해야 했고 소리를 지르거나 울음을 터트리지 않기 위해 더 많은 노력을 해야 했다. 남자는 그러는 게 얼마나 소모적인 행동인지 말하지 않았다. 그런 것들을 배

제함으로써 그 말을 했다. 남자는 병에 바람을 불어넣을 때처럼 뭉툭한 목소리로 말했고 그게 다였다.

　—정말 뭐라 드릴 말씀이 없군요, 테일러 부인.

　매기는 몇 번 죽었다 깨어나도 그 남자처럼 말하는 방법을 배우지 못할 것 같았다.

　—저도 부인께 이런 소식을 전해드리고 싶지 않았어요.

　캐럴은 곤란한 표정으로 사무실 의자에 앉아 손톱을 물어뜯거나 볼펜을 똑딱거리는 어린 여자를 떠올렸다. 책상에 엎드려 울기 시작하면 달래줘야 할 텐데 정말 그런 일이 벌어지면 모든 것이 참을 수 없을 만큼 한심하게 느껴질 것 같았다.

　—원래 이런 전화는 피터슨 씨가 해야 하는 건데…… 지금은 피터슨 씨가 자리에 없거든요.

　매기가 피터슨 씨의 됨됨에 대해 이러쿵저러쿵 몇 마디 하는 동안 캐럴은 한 차례 심호흡을 한 다음 자기 생각을 말로 표현하기 위해 같은 생각을 다섯 번쯤 되풀이해야 했다. 빌어먹을 이 여자애는 50년 전에 태어나지도 않았다고.

　—그럼 피터슨 씨가 직접 전화할 때까지 기다리면 되는 건가요, 아가씨.

　—아니요. 제 말은 그게 아니라…….

매기는 괜찮은지 물어보거나 자기 말을 듣고 있다면 그렇다고 대답해달라는 요청을 하기 위해 전화를 건 사람처럼 그런 말들을 반복하면서 마크에 관해 이야기했다.

—저도 이게 말이 안 된다는 건 알아요. 피터슨 씨가 그러는데…….

인생은 가끔 성질 고약한 영감탱이 같았다. 언제 무슨 짓을 할지 모른다는 점에서 그랬고, 끝까지 자기가 해왔던 방식을 바꿀 생각이 없다는 점에서 그랬다. 매기의 말을 듣는 동안 캐럴은 자기가 50년 전에 어땠는지 떠올리면서 잠깐 인생에 대해 생각했다. 그런 다음에는 머리에 벽돌을 맞은 사람처럼 정말 아무 생각도 할 수 없었다.

—부인 괜찮으세요?

어떤 게 괜찮은 건지 생각을 좀 해봐야겠지만 몇 가지 문제만 빼면 그런대로 괜찮은 것 같았다. 소파가 계속 삐걱거렸고 그 소리가 뼈마디를 두드리는 것처럼 크게 들렸고 공중에 먼지가 떠다녔고 캐럴 혼자 어두운 거실에 앉아 있었고…… 하지만 가장 큰 문제는 방금 전까지 아무렇지 않았던 것들이 지금은 문제가 된다는 것이었다.

—지금 뭐라고 했나요, 매기?

—마크 어서 씨가 돌아오고 있다고요. 정확하게 말하면 어서 씨가 타고 있는 우주왕복선이 돌아오고 있는 거지만요.

캐럴은 어떻게 그런 일이 일어났는지 몰랐고 알고 싶은 마음도 없었다. 대신 그런 일이 일어나도 되는지에 대해 생각했다. 그 우주선에는 마크 말고도 다섯 명의 우주비행사가 더 타고 있었다. 린다와 에드와 로직과 세르게이와 안나와…… 그들은 캐럴을 지나쳐 간 사람들이었고, 캐럴은 50년 전에 궤도를 이탈한 그들이 왜 돌아오고 있는지 알 수 없었다.

─그런데 정말 괜찮으세요? 도움이 필요하시면 저한테 말씀하셔도 돼요.

─언제 마크를 만날 수 있는지 알려줄 수 있나요?

캐럴은 전화를 끊고 멍하니 소파에 앉아 지금 당장 한잔 하지 않으면 안 되겠다는 생각을 다섯 번쯤 한 다음 부엌으로 갔다. 찬장에 먹다 남은 위스키와 아직 뚜껑도 따지 않은 위스키가 나란히 놓여 있었다. 캐럴은 손잡이가 깨진 찻잔과 손도 대지 않은 위스키를 들고 다시 거실 소파에 가서 앉았다. 삐걱대는 소리가 들렸고, 한동안 아무 소리도 들리지 않았다.

1.

캐럴이 마크를 처음 만난 곳은 아는 사람의 아는 사람 집에서 열린 하우스 파티에서였다. 그날 캐럴은 화장을 안 한 것처럼 화장한 얼굴에 흰 티셔츠와 몸에 짝 달라붙는 청바지를 입고 있었고 어딜 가나 파리 떼처럼 몰려와 윙윙대는 남자들 때문에 구석으로 밀려난 다른 여자들의 분노를 사면서도 어떤 남자가 만약 양손에 샴페인 잔을 하나씩 들고 두 시간째 자기 뒤를 졸졸 따라다닌다면 그 남자에게도 기회를 줘야 한다고 생각하고 있었다.

—고마워요. 그런데 이름이 뭐죠?

—네?

시간이 정말 느리게 흐른다면 얼마나 느리게 흐를 수 있는지 캐럴은 마크와 이야기를 나누는 5분 동안 직접 경험할 수 있었다.

—서커스 단장과 그의 코끼리가 네바다주에 간 이야기 알아요?

마크는 아주 오래된 이야기 아니면 캐럴이 어디선가 들어본 이야기를 했고, 캐럴은 서커스 단장과 그의 코끼리가 네바다주에서 어떤 일을 겪었는지 듣는 동안 마크의 이야기를 한 번이라도 들어본 적 있는 다른 여자들과 완전히 똑같은 생각을 했다. 세상에서 제일 재미없는 남자가 지금 자기 앞에 서 있고 이건 절대 공평한 일이 아니라고.

—실례할게요. 친구가 왔네요.

거실은 넓었고 시끄러운 음악을 밤새 틀어놓았는데 원한다면 뼈가 부러질 때까지 춤을 출 수 있었다. 술이 필요한 사람은 부엌으로 가서 냉장고 문을 열기만 하면 됐다. 2층에는 방해하지 말라는 푯말을 걸어둘 수 있는 방이 세 개 있었는데 남자와 함께 2층으로 올라간 여자들은 30분쯤 후에 옷이 구겨지거나 화장이 지워진 채 계단을 내려왔다. 가끔씩 말다툼이 벌어지고 욕설이 오갔지만 아무도 신경 쓰지 않았다.

다음 날 아침 캐럴은 거실 소파에서 눈을 떴고 화장실에 가기 위해 우선 배 위에 놓여 있는 누군가의 다리를 옆으로 치워야 했다. 화장실 거울을 잠깐 들여다본 캐럴은 바지를 내리고 변기 위에 앉았다. 두통 때문에 머리가 제대로 붙어 있는지 의심스러울 지경이었고 목구멍을 사포로 밀어대는 것처럼 목이 말랐다. 오줌량이 많았다. 고장 난 수도꼭지에서 물이 새는 것 같았고 캐럴은 화장실 벽에 붙어 있는 파란색 타일을 멍하니 바라보며 네바다주에 간 서커스 단장과 그의 코끼리를 떠올렸다. 오래전에 설치해둔 시한폭탄처럼 갑자기 웃음이 터졌다. 캐럴은 변기 위에 앉아 자기 웃음소리가 화장실 벽에 부딪치는 소리를 들으며 자기를 그렇게 만든 남자의 얼굴과 이름을 떠올리려고 노력했다.

마크가 재미없는 남자인지는 몰라도 재미있는 남자처럼 보이려고 노력하는 남자라는 건 확실했다. 마크는 매너가 몸에 밴 남자는 아니었다. 노력을 통해서 몸에 배게 할 수 있다고 믿는 쪽이었다. 마크는 모든 걸 그런 식으로 생각했다. 세계는 가변적인 대상물이었고 중요한 건 노력하려는 걸 멈추지 않으려고 노력하는 태도뿐이었다.

캐럴에게 마크는 완전히 새로운 유형의 인간이었다. 캐럴의 주변에도 대학을 나오거나 박사 학위를 딴 남자는 많았지만 그 두 가지를 하버드 공과대학에서 한꺼번에 해낸 남자는 마크 한 명뿐이었다. 가르마 탄 머리로 맥도날드에 앉아서 햄버거를 먹는다든지 빳빳한 양복바지 아니면 너무 많이 찢어져서 방금 개한테 물어뜯긴 것처럼 보이는 청바지밖에 입을 줄 모르는 남자도 마크뿐이었고.

—옷 입는 방식이나 머리 모양에 대해서 조언해줄 사람이 주변에 없나 봐요. 초끈 이론이나 중성 미자에 대한 문제 말고요.

그날 캐럴은 마크와 함께 카페 창가 자리에 앉아 있었고 아직 커피가 남아 있는 머그잔을 만지작거리면서 앞에 앉은 마크가 목 끝까지 채운 와이셔츠 단추를 두 개쯤 풀고 다니면 어때 보일까에 대해 생각했다.

—그렇게 꽉 채우고 다니면 답답하지 않아요?

—네?

물리적인 문제 때문에 말을 못 알아듣는 것 같지는 않았다. 적어도 물리적인 문제는 그렇지 않은 문제보다 해결하기 쉬웠다.

　—와이셔츠 단추요. 그리고 싶어서 그러는 거라면 어쩔 수 없지만…….

　캐럴도 가슴에 털이 없는 남자들이 있다는 걸 알고 있었다. 그리고 그중에는 여자들이 그걸 굉장히 중요하게 생각한다고 믿기 때문에 그걸 굉장히 중요하게 생각하는 남자들이 있다는 것도 알았다. 그들은 여름에도 와이셔츠 단추를 끝까지 채우고 다녔고 누군가 와이셔츠 단추에 대해 언급하면 마크처럼 시선을 피하면서 말을 더듬었다.

　—두 개만 풀고 다녀도 훨씬 괜찮아 보일 거예요.

　안토니오는 가슴에 털이 많았고 와이셔츠 단추를 거의 채우고 다니지 않았다. 라틴계 남자치고도 그랬고 트럭 운전사치고도 그랬는데 트럭을 운전하는 라틴계 남자치고도 그랬다. 얼굴을 부비면 누린내가 났지만 캐럴은 거기에 얼굴을 부비는 걸 좋아했다. 양 떼가 오래 머물다 간 들판에 누워 있으면 그런 기분이 들 것 같았다. 낯설고 의도에서 멀리 벗어난 곳에 누워 있을 때처럼. 안토니오는 캐럴이 만난 많은 남자 중 한 명이었다. 지금은 만나지 않지만 전화 한 통이면 언제든지 화끈하게 하룻밤을 보낼 수 있는 남자 중 한 명이기도 했다. 캐럴에게는 그런 남자들이 많았다. 잔에서 맥주가 넘칠 때처럼 지저분한 소리를 내면서 입술에 바른 립스틱을 빨아대는 남자들. 브래지어와 팬티만 보면 환장하는 남자들. 가끔씩 캐럴은 마크가 그런 남자 중 한 명이 아니라는 사실 때문에 화가 나기도 했다. 그런 남자 중 한 명이었다면 그렇게 오래 만나지도 않았겠지만.

마크는 물을 너무 많이 넣고 끓인 옥수수 수프 같았다. 한입 떠먹은 뒤 한동안 이게 뭔지 생각해봐야 하는 그런 맛이 났다. 그래서 어느 날 갑자기 마크가 청혼했을 때 캐럴은 이제 막 썰기 시작한 스테이크를 창문 밖으로 날려버릴 뻔했다. 사실 그건 청혼 같지도 않았다. 그날 저녁 마크는 늘 가던 식당에 캐럴을 데려갔고, 미안한데 옆에 있는 후추통 좀 집어줄래요, 라고 말한 다음, 저녁 식탁에 앉아서 딸이 사귀는 남자에 대해 한마디 해야 하는 홀아비처럼 고개도 들지 않은 채 천천히 다음 말을 이었다.

—난 우리가 결혼하면 아주 멋질 것 같은데…… 당신 생각을 듣고 싶네요, 캐럴.

먼지가 살짝 덮인 스피커에서 컨트리풍의 하모니카 연주가 흘러나왔고 웨이터가 지나다닐 때마다 마루로 된 바닥이 기분 좋게 울렸다. 마크처럼 평범하고 시시하고 몇 번 와도 이름이 가물가물할 것 같은 식당이었다. 무난한 메뉴와 기억에 흠집을 내지 않는 음식들. 옆 테이블에 앉아 있는 노부

부가 주의를 기울이는 게 느껴졌다. 포크와 나이프가 잠깐 공중에서 멈췄다가 그런 일이 없었던 것처럼 다시 움직였다. 그들은 예의에서 벗어나지 않을 만큼 관심을 감출 줄 아는 사람들이었고, 다른 테이블에서 가족과 함께 앉아 있는 사람들도 그런 사람들이었다. 캐럴은 섹스보다 결혼을 먼저 요구하는 남자에 대해 생각했다. 그게 정상인지 아닌지에 대해서도. 적어도 주변에서 그런 남자를 본 적이 없는 것만은 확실했다. 남자들은 결혼을 들먹이면서 섹스를 요구했다. 섹스 후에 결혼을 들먹이는 걸 겁내거나.

─지금 당장 대답하지 않아도 돼요. 그럴 수 있는 문제도 아니고요.

캐럴은 살가죽이 홀딱 벗겨질 정도로 화끈한 잠자리를 좋아했다. 하지만 잠자리가 인생의 한 부분에 지나지 않는다는 사실도 알고 있었다. 결혼을 하고 아이를 낳고 생활을 하고 늙어간다는 건 전혀 다른 문제였다. 그런 것들은 오랜 시간과 많은 물건, 하고 싶지만 할 수 없는 일과 하기 싫지만 해야 하는 일들로 이루어져 있었다. 캐럴은 마크가 방금 쓴 후추통을 정확히 제자리에 돌려놓는 모습을 바라보면서 얼마 전부터 맥 아저씨와 살고 있는 엄마의 말을 떠올렸다. 남자를 고를 땐 자기가 쓴 물건을 원래 있던 자리에 돌려놓을 줄 아는지만 보면 돼. 나는 세 번 다 운이 없었지만…… 하

긴 남자 운이 좋은 여자가 몇 명이나 되겠니. 캐럴의 엄마는
잔소리가 심했지만 엄마의 잔소리치고 틀린 말이 없다는 게
캐럴의 생각이었다.

　―아니요. 나쁘지 않은 생각 같은데요.

　　2.

　결혼 후 캐럴과 마크는 한동안 뉴욕에 있는 마크의 독신
자용 아파트에서 함께 살았고 생각보다 그럭저럭 지낼 만한
곳이라는 데에 별다른 이견이 없었다. 화장실이 하나뿐이었
지만, 주방에 둘이 서 있으면 움직일 때마다 엉덩이가 부딪
쳤지만, 침실은 공간을 효율적으로 사용하는 방법을 알려준
다는 것 말고는 장점이 없었지만, 한 명이 거실 소파에 앉아
있으면 지나다닐 때마다 다리에 발이 걸렸지만 그럭저럭 지
낼 만한 것은 사실이었다. 마크가 메릴랜드주에 있는 그린
벨트 쪽에 집을 한 채 구하지 못했다면 계속 그렇게 살았을
가능성이 컸다.

　―당신 마음에 들었으면 좋겠는데…….

　울타리가 있고, 정원이 있고, 누군가 빗질을 해놓은 것처
럼 잘 정돈된 잔디 너머에 이층집이 보였다. 그 집은 어떤 사

람들이 저런 집에서 사는지 궁금하게 만드는 바로 그런 집이었고, 캐럴은 자기가 더 이상 그럭저럭 지낼 만한 곳에서 살 필요가 없다는 사실을 깨달았다. 몇 야드 떨어진 곳에도 비슷하게 생긴 집이 몇 채 있었지만 그 집만큼 특별하지는 않았다. 캐럴은 한참 동안 이층집을 바라보다 마크의 표정이 시무룩하게 변할 때쯤 환하게 웃으며 대답했다.

─최고예요, 마크.

캐럴에게는 형제가 없었다. 부모가 없는 것은 아니었지만 없는 것이나 마찬가지였고 그건 집에 부를 가족이 한 명도 없다는 뜻이었다. 그런 면에서 마크는 캐럴과 반대였다. 마크는 각자 바람을 피운 상대와 살고 있는 부모를 1년에 한 번씩 만나거나 크리스마스 선물을 학교 기숙사에서 받으면 어떤 생각이 드는지 경험할 필요가 없었다. 마크네 가족은 고등학교 아이스하키팀 같았다. 우리 팀을 건드리면 어떻게 되는지 똑똑히 보여주자고 외치며 우르르 몰려다닐 것 같았고, 오리건주에서는 지금도 그렇게 살고 있을 것 같았고, 버지니아나 펜실베이니아에서 살았다면 메릴랜드로 우르르 몰려와서 우리 팀을 건드리면 어떻게 되는지 똑똑히 보여주자고 외칠 것 같았다. 아무튼 마크네 가족은 너무 멀리 살았고 집에 부를 수 없다는 점에서는 캐럴의 가족과 똑같았다.

─집이 멋지네요, 캐럴. 정말로요.

어느 날 마크가 아는 사람을 몇 명 초대하고 싶다고 조심스럽게 말을 꺼냈을 때 캐럴은 하루만 준비할 시간을 달라고 말했다. 마크가 어떤 사람들과 일하는지 궁금하기도 했고 3개월 동안 자기가 집을 어떻게 꾸며놓았는지 보여줄 사람이 필요하기도 했다. 그리고 이튿날 저녁 마크는 정확하게 캐럴이 원하는 사람들을 데리고 왔다.

─초대해줘서 고마워요. 이런 집에는 누가 사는지 예전부터 궁금했거든요.

마크의 동료는 다섯 명이었고, 그들은 학교 기숙사로 배달된 크리스마스 선물과 라커룸으로 몰려가는 고등학교 아이스하키팀 같은 분위기를 동시에 풍겼다. 무겁지 않은 유대와 기호품처럼 선택하거나 배제할 수 있는 무관심.

─린다, 이리 와서 거실 좀 봐. 바닥을 어떻게 하면 이렇게 윤이 나는 거죠? 정말로요.

세르게이 브린은 뭉뚝한 콧등 위에 두꺼운 안경을 걸치고 있었고, 흘러내린 안경을 1분에 두세 번꼴로 밀어 올리면서 하루 종일 뭔가를 생각할 것처럼 생긴 지질학자였다. 린다 브린은 세계적인 생물학자였고 굉장한 미인이었는데, 왜 세르게이 같은 남자와 결혼했냐는 질문을 받을 때마다 가볍게 농담을 던질 줄 아는 여자였다. 그때는 연구실에 들락거리는 남자 중에서 세르게이가 가장 잘생긴 남자였거든요.

―옆에 있는 후추통 좀 집어 주게, 마크.

캐럴은 그날 저녁 식탁에 앉기 전까지 후추통이 들어간 문장을 가장 멋지게 말할 줄 아는 사람이 마크라고 생각했다. 후추통을 가장 멋지게 제자리에 돌려놓을 줄 아는 사람도 마크라고 생각했고. 하지만 마크는 로직 홀리데이를 흉내 낸 것에 불과했다. 약간 달랐지만 전혀 비슷하지 않았다. 마크는 로직에게 후추통을 건넨 다음 다른 건 필요하지 않느냐고 물었다.

―후추통이면 됐어. 고맙네.

로직 홀리데이가 과거에 어디에서 무슨 일을 했는지 아는 사람은 거의 없었다. 하지만 그는 낮고 부드러운 목소리를 가졌고, 그 목소리에 권위를 실어서 사용하는 법을 알았다. 그리고 그건 로직 홀리데이 같은 일을 하는 사람이 가져야 할 가장 중요한 재능 중 하나였다. 좋은 목소리가 수만 톤짜리 우주왕복선을 움직이는 것은 아니지만 목소리가 좋으면 더 잘 움직일 것 같기는 했다.

―아니요. 우주복을 입고 밖에 나가는 일은 에드가 해요. 저는 안전한 곳에 앉아서 시스템을 운영하거나 가끔씩 로봇 팔을 조종하고요.

안젤리나는 화장이라는 걸 한 번도 해본 적 없을 것 같은 얼굴에 주근깨가 가득한 여자였고, 접시에 으깬 감자를 한

주걱 퍼 담으면서 칼 세이건과 그의 저서인 《코스모스》에 자기가 얼마나 특별한 애정을 가지고 있는지 이야기했다. 말할 때마다 끼고 있는 장갑에 불이 붙은 사람처럼 손을 움직이는 걸 보면 칼 세이건과 《코스모스》에 대한 애정이 얼마나 특별한지 알 수 있었다.

　―《코스모스》는 성경하고 비슷한 책이에요. 완전히 똑같은 건 아니지만 가장 비슷하긴 하죠. 누구도 더 이상 그런 책을 쓸 수 없다는 점에서는 완전히 똑같고요. 에드요? 나를 세이건 부인으로 만들어줄 수 있는 남자 중에서 가장 괜찮은 남자였죠. 그리고 그건 지금도 그렇고요.

　에드워드 세이건은 안젤리나 옆에 앉아 있었는데, 벽에 걸려 있는 그림 같은 남자였다. 아직 거기에 앉아 있다는 걸 확인하기 위해서 가끔씩 고개를 돌려야 할 만큼 말이 없다는 점에서 그랬다. 벽에 걸어놓고 싶을 만큼 잘 생겼다는 점에서도 그랬고. 하지만 술이 몇 잔 들어가자 자기도 발음기관을 사용할 줄 안다는 사실을 보여주기로 결심한 사람처럼 떠벌거리기 시작했다.

　―우주에서는 너무 많이 움직이면 균형감을 잃어요. 움직이는 것보다 움직이지 않는 게 훨씬 더 중요하고 힘이 들죠. 그런 면에서 마크는 정말 타고난 우주비행사예요. 거의 움직이지 않거든요.

먼 곳에서 산비둘기 우는 소리가 들렸고, 캐럴은 문득 그 곳에 앉아 있는 일곱 명 중 여섯 명이 우주비행사라는 사실을 떠올렸다. 그들은 우주에 관해 이야기했고, 원심력 발생 장치에 앉거나 회전 탁자 위에 서 있으면 어떤 기분이 드는지 이야기하다가 다시 우주에 관해 이야기했다. 블루베리 파이를 먹으면서 우주를 떠올린다든지 싱크대에 쌓여 있는 접시와 우주를 연결시키는 일은 결코 쉬운 일이 아니었지만 그들에게는 그러지 않는 것보다 그러는 게 훨씬 쉬운 일처럼 보였다. 의미를 강요하지 않는 농담과 누구에게도 상처를 주지 않는 웃음과 오랜 시간을 두고 단층처럼 쌓인 신뢰가 가득한 밤이었다. 캐럴은 우주비행사처럼 마시고 떠들고 웃는 법을 알 것 같았다. 우주유영을 할 때처럼 그냥 몸을 맡기면 되었다.

—안젤라의 기분이 좋아 보이네요. 기분 나쁘게 취하면 다른 걸 집어 던지거든요.

안젤리나에게는 아무한테나 팝콘을 던지면서 장난을 치는 못된 버릇이 있었고, 알고 보니 에드워드는 눈물이 쏙 빠질 만큼 웃기는 남자였다. 외계 생명체에 대한 세르게이의 견해에는 좀 독특한 면이 있었는데 세르게이의 견해가 지나치게 독특해질 때마다 린다가 나서서 좀 덜 독특한 견해를 제시했다. 마크와 로직은 거기에 모인 일곱 명 중 가장 말이 없는 두 사람이었다. 마크는 원래 말이 많은 편이 아니었지만 술이 몇 잔 들어가자 더 말이 없어진 것 같았고 로직은 원래 그렇게 말이 없는 사람 같았다. 하지만 둘 다 자기 마음에 드는 구질의 공이 날아오면 정확하게 배트를 휘둘러 홈런을 날릴 줄 알았다.

자정이 지나자 천장에서 쥐가 돌아다니기 시작했다. 다람쥐나 청설모일 수도 있었다. 머리 위에서 여섯 살쯤 된 남자아이가 타악기를 아무렇게나 두드려대는 것 같았다. 그 소리가 한 번씩 지나갈 때마다 사람들은 술을 입에 머금은 채 조용히 귀를 기울였다. 한두 명은 눈을 치켜뜨고 그곳에 뭐가 있기라도 한 것처럼 천장을 바라보곤 했지만 그들은 아무것도 찾아내지 못했다.

나중에는 식탁 위에서 소금통과 후추통이 계속 쓰러졌고 누군가 더 이상 아무것도 세우지 말자는 의견을 내자 모두 환호성을 지르며 그 천재적인 의견에 동의했다. 한번은 식탁보에 묻은 토마토케첩을 한참 들여다보던 세르게이가 그게 마치 인상파 화가의 그림 같다고 말했고 에드워드가 이 의견에 정면으로 반대하면서 가벼운 언쟁이 벌어지기도 했지만 우주를 제외한 다른 모든 화제처럼 그렇게 오래가지는 못했다. 포크와 스푼 몇 개가 바닥에 떨어져 있었고 식탁 위에 놓여 있는 나머지는 누가 쓰다가 거기에 둔 건지 아무도 몰랐지만 그런 걸 신경 쓰는 사람은 한 명도 없었다. 그리고 지금은 그게 안젤리나였는지 세르게이였는지 확실하지 않지만 그때 누군가 난장판이 된 식탁과 엔트로피의 증가에 대해 케케묵은 이야기를 꺼냈고, 한 손으로 턱을 괴고 있던 로직 홀리데이가 그날 밤을 통틀어 가장 긴 문장을 말하며 술잔을 들었다.

─인생이 원래 그래. 오래될수록 개연성이 사라지고 무질서해지고 응집력을 잃어버리지. 하지만 그건 그것대로 나쁘지 않다고 생각해. 인생과 엔트로피를 위해 건배.

캐럴은 잔을 부딪치면서 생각했다. 그것은 생각이라기보다 감각에 가까웠고, 아주 먼 곳에서 운석처럼 날아와 그곳에 떨어진 것 같았고, 부피가 있는 물질처럼 손을 뻗으면 만질 수 있을 것 같았다. 지금 보고 있는 모든 것을 아주 오랫동안 기억할 것 같은, 혹은 기억하려고 노력할 것 같은 예감. 사소하지만 내밀하고 중요한 브릭 하나가 자기의 가장 안쪽 구역에 자리를 잡으며 꽂히는 느낌.

─집이 멋져요, 캐럴. 정말로요.

─잘 자요, 캐럴. 잘 자요, 마크.

화장실에서 나는 락스 냄새와 잘 정돈된 침대 시트와 깨끗하게 세탁한 타월과 늘 제자리에 놓여 있는 물건들……. 캐럴은 그런 것들이 집을 완전하게 만든다고 생각했고, 매일 그런 것들을 만지거나 살피면서 집이 완전하다고 생각했다. 그리고 그날 밤 여섯 명의 우주비행사와 함께 식탁에 앉아 시간을 보내지 않았다면 계속 그렇게 생각했을 가능성이 높았다. 하지만 그들 중 다섯 명의 우주비행사가 돌아가자 캐럴은 집이 완전하지 않다는 사실과 아주 특별한 순간이 그곳을 지나쳐 갔고 다시는 그런 순간이 찾아오지 않으리라는 사실을 깨달았다. 먼지가 달라붙은 벨벳 커튼과 벽지 뒤에 감춰진 균열과 훼손된 채 고여 있는 공기와…… 차갑게 식은 음식처럼 화려함을 잃은 전등 불빛이 사방에 가득했다. 캐럴은 그런 것들을 차례차례 바라본 다음 아무도 앉아 있지 않은 식탁을 10초쯤 응시하다가 잃어버린 물건을 찾지 못한 사람처럼 침실 쪽으로 걸어갔다.

3.

50년째 같은 동네에 산다는 것은 한 블록을 걸어가는 동안 아는 사람을 적어도 세 명 이상 만날 확률이 높다는 뜻이었다.

—마침 집에 있었네. 파이를 좀 만들어 왔는데 먹어봐요, 캐럴.

그날 아침 캐럴은 문을 열자마자 접시를 들고 서 있는 제시카와 마주쳤고, 몇 번 이사를 다니기는 했지만 자기가 50년째 같은 동네에서 살고 있다는 사실을 떠올리지 않을 수 없었다.

―고마워요. 잠깐 들어왔다 가라고 하면 좋을 텐데 지금은 약속이 있어서 그럴 수가 없네요.

제시카는 엎어지면 코 닿을 데 살았고 세 곳의 자선단체와 두 곳의 봉사단체에서 활발하게 활동하고 있었는데 시간이 날 때마다 파이를 만들어서 자기가 작성한 목록에 이름이 올라와 있는 사람들에게 돌리곤 했다.

―그 옷 정말 오랜만이네요. 누구 만나러 나가나 봐요?

제시카는 캐럴이 십몇 년 전에 입고 한 번도 입은 적 없는 옷까지 정확하게 기억했다. 로건 씨의 퇴임식 때 마지막으로 입은 옷이었고 꼭 그럴 필요가 있을 때만 입고 나가는 옷이었는데……. 캐럴은 자기보다 다섯 살이나 많은 제시카가 자신에게 무언가를 상기시킬 때마다 패배감을 느끼곤 했다. 캐럴이 자신에 대해 기억하지 못하는 것일수록 더 그랬다.

―그렇게 차려입은 걸 보니까 좋네요. 누군지 물어봐도 돼요?

―그냥 옛날에 알던 사람들이요.

제시카의 파이는 항상 기가 막히게 맛이 좋았다. 조금 전에 똑같은 걸 먹었거나 손가락 하나 꼼짝 못 할 만큼 배가 불러도 그랬다. 하지만 직접 파이를 들고 와 문을 두드리는 건 좀 생각해봐야 했다. 제시카의 파이 목록에는 고아나 미혼모나 독거노인처럼 도움이 꼭 필요한 사람들의 이름이 올라 있었는데 캐럴의 이름이 그 목록에 오른 것은 하늘에 구멍이라도 난 것처럼 비가 퍼붓던 5년 전 여름이었다. 안토니오의 몸에서 생명 유지 장치를 뗀 다음 날 아침 캐럴은 비에 흠뻑 젖은 우비를 입고 초인종을 누른 제시카에게 문을 열어주었다. 마침 집에 있었네. 파이를 좀 만들어 왔는데 먹어봐요. 그때 제시카와 캐럴이 할 수 있는 일은 한 가지밖에 없었고 그래서 둘은 그 일을 했다. 하늘은 온통 먹구름으로 가득했고 계속 비가 퍼붓고 있었고 빗소리 말고는 아무 소리도 들리지 않았고…… 캐럴은 제시카에게 안겨서 체력적인 문제 때문에 더 이상 그럴 수 없을 때까지 울었다.

—파이는 식탁 위에 두고 갈게요. 그럼 잘 다녀와요, 캐럴.

비슷하게 생긴 나무 문과 잔디밭과 이층집이 깨끗하게 정리된 거리를 사이에 두고 보기 좋게 늘어서 있었다. 자전거를 탄 아이들은 페달을 밟거나 소리를 지르거나 하면서 빠르게 달려갔고 유모차를 밀며 지나가는 여자들이 인사를 건넬 때마다 캐럴은 그들의 코흘리개 적 모습이 어땠는지 떠올리면서 미소를 지었다. 50년은 짧은 시간이 아니었다. 어

떤 사람은 떠나고 어떤 사람은 돌아오고, 아이를 낳아 키우
거나 사랑하는 사람의 죽음을 지켜본 사람도 있었다. 캐럴
의 50년도 그랬다. 안토니오는 좋은 남편이었지만 몇 년 전
부터는 다마스쿠스 공동묘지에 묻혀 있었다. 길리언과 베키
는 뉴욕에 살면서 가끔씩 전화로 안부를 물었다. 그때마다
길리언은 지금이라도 당장 처와 아이들을 데리고 몰려올 것
처럼 굴었지만 한 번도 그런 적이 없었고, 길리언이 항상 말
로만 그런다는 걸 캐럴도 알고 있었다. 베키는 어릴 때부터
조용하고 속을 알 수 없는 아이였는데 해리스와 이혼한 뒤
에 더 그렇게 된 것 같아 걱정이었다. 캐럴에게 50년은 그렇
게 흘렀고 이제 남은 것은 이따금 걸려 오는 자식들의 전화
와 몇 년이 지났는데도 낯설기만 한 남편의 묘지뿐이었다.
캐럴은 모든 것이 지나갔고 지금 남아 있는 것들도 다른 모
든 것이 그랬던 것처럼 곧 지나갈 거라고 생각했다. 하지만
어떤 것은 그렇지 않았다.

　—내일 오시는 거 맞죠?

　지난 며칠 동안 캐럴은 계속 어딘가에 부딪치거나 무언가
를 깨뜨렸고, 그럴 때마다 자기가 나사 빠진 사람처럼 행동
한 것에 대해 화를 내야 했다. 만나는 사람마다 걱정스러운
목소리로 괜찮으냐고 물은 다음 캐럴의 얼굴을 빤히 들여다
보면서 정말 괜찮은지 물을 때도 그랬다. 자기가 캐럴과 완

전히 똑같이 생긴 다른 누군가 같았다. 만약 매기 브라운이 매일 전화해서 수다를 떨지 않았다면 정말 나사 빠진 사람처럼 자기가 왜 그렇게 됐는지도 잊었을 게 뻔했다.

―제가 남자 보는 눈이 좀 없는 편이긴 해요. 수염을 안 깎은 남자가 멋있어 보이는 나이는 지났는데도요.

매기는 스물네 살이었고 볼티모어 외곽에 위치한 임대 아파트에서 혼자 살고 있었고 그때까지 세 명의 남자를 겪어 봤는데 매기의 말에 따르면 셋 다 자기 생각밖에 할 줄 모르는 쓰레기였다.

―침대에서 화끈한 남자는 많아, 매기. 하지만 침대에서는 남자를 알 수 없지.

―유익하고 흥미로운 이야기네요. 다음 이야기도 듣고 싶어지는데요.

―남자를 고를 땐 자기가 쓴 물건을 원래 있던 자리에 돌려놓을 줄 아는지만 보면 돼. 나도 누구한테 들은 이야기인데 맞는 이야기야.

매기는 길에서 주운 고양이를 다섯 마리나 키웠고 지금은 자기가 여섯 번째 고양이를 주워 오게 될까 봐 두려워하고 있었다. 매일 아침 다이어트를 결심했다가 다음 날 아침 더 굳게 다이어트를 결심하는 생활을 반복하고 있다고 고백하기도 했는데 생각해보면 캐럴도 그 나이 때는 그랬던 것

같았다. 매기는 캐럴에게, 지금도 가끔 거울을 들여다보기는
하지만 하루 종일 거울을 들여다봐도 시간이 부족했던 시절
을 떠올리게 했다. 그리고 매기는 마크에 관한 이야기를 한
마디도 언급하지 않으면서 마크에 대한 모든 것을 생각나게
만들었다. 사원증을 달고 사무실 책상에 앉아 있는 모습을
직접 본 적은 없지만 그렇다고 매기가 고다드우주비행센터
의 직원이 아닌 것은 아니었으니까.

—피터슨 씨가 꼭 확인하라고 해서요. 저는 그럴 필요 없
다고 했지만요. 그런데 내일 오실 거죠?

—간다고 했으니까 가기는 할게.

—피터슨 씨한테 그렇게 전할게요.

어제 오후에는 매기와 목소리만 완전히 똑같은 전혀 다른
여자와 통화하는 기분이었다. 색깔과 질감이 사라지고 명암
과 형태만 남은 목소리였다. 매기도 캐럴과 통화하는 동안
똑같은 생각을 했을지도 몰랐다.

—그런데 캐럴…… 내일 오고 싶지 않으시면 안 오셔도
돼요.

—고마워. 내일 볼 수 있었으면 좋겠네.

—그래요. 그랬으면 좋겠네요.

매기는 피터슨 씨의 이름을 한 번 더 언급하면서 캐럴만
좋다면 내일 집 앞까지 차를 보내줄 수 있다고 했다. 캐럴은

그럴 필요 없다고 대답한 뒤 10년 전에는 그쪽으로 다니는 버스가 있었는데 그 버스가 지금도 있는지 알아봐야겠다고 덧붙였다. 매기는 그날 아침 길에서 주운 여섯 번째 고양이에 관해서 이야기할 수도 있었다. 캐럴도 여자들끼리만 통하는 농담을 제법 많이 알고 있었고 그걸로 분위기를 바꿔볼 수도 있었다. 하지만 둘은 그러지 않았다. 누군가 먼저 전화를 끊어야 한다면 그게 꼭 자기일 필요는 없다고 생각하면서 한동안 입을 다물고 있었다. 그렇게 침묵이 흘렀고 침묵의 무게를 견디지 못한 누군가가 먼저 전화를 끊을 때까지 계속 침묵이 흘렀다.

캐럴은 버스 정류장에 혼자 앉아 버스 정류장의 위치가 두 번 바뀌는 동안 자기가 한 번도 버스를 타지 않았다는 것에 대해 생각하고 있었다. 안토니오가 살아 있을 때는 안토니오가 운전하는 포드를 타고 다녔고 안토니오가 더 이상 그럴 수 없게 된 뒤부터는 차를 탈 필요가 없게 되었다. 깡통을 잔뜩 매단 웨딩카 한 대가 난리를 부리면서 지나갔고 캐럴은 다마스쿠스 공동묘지로 안토니오를 찾아갈 때마다 하곤 하는 생각을 한 번 더 했다. 인생은 많은 공간을 차지했다. 남은 인생이 많을수록 더 그랬다. 딱 자기 한 사람 누울 수 있는 공간에서 시작됐다가 딱 자기 한 사람 누울 수 있는 공간에서 끝나는 것이 인생 같았다. 그리고 인생은 어쩌면 차를 탈 필요가 없어지는 그 즈음부터 끝장나기 시작하는 건지도 몰랐다.

캐럴이 기다리는 버스는 30분마다 한 대씩 왔고 캐럴은 첫 번째 버스가 잠깐 정류장에 서 있다가 멀리 사라져가는 모습을 그냥 지켜보기만 했다.

처음에는 마크가 아주 오래전에 잃어버린 브릭이라고 생각했다. 그때부터 모든 게 삐걱대거나 틀어지기 시작한 것 같았다.

버스를 기다리고 보내고 다시 기다리는 동안 캐럴은 핸드백에서 꺼낸 거울을 두 번 들여다봤고 옷에 먼지가 묻은 건 아닌지 계속 신경 썼다.

마크가 그렇게 된 뒤부터 캐럴은 마크와 함께 우주를 유영하는 기분이었다. 안토니오에게는 지구가 보이지도 않을 만큼 까마득하게 먼 곳에서 지구를 바라보는 느낌이 어떤 건지 말할 수 없었다. 어항 속에서 헤엄치는 물고기처럼 볼 수는 있지만 만지면 안 될 것 같았다. 물건이 그랬고 사람이 그랬고 무엇보다 캐럴 자신이 그랬다. 그리고 만질 수 없는 인생은 진짜 인생이 아니었다.

─안 타실 거예요?

두 번째 버스가 도착했고 차 문이 열리자 선글라스와 콧수염으로 얼굴의 대부분을 가린 버스 기사가 소리쳤다.

─그냥 가요. 앉아서 생각 좀 하게.

지난 일주일 동안 캐럴은 자기가 꼭 옷장 밑으로 들어간 브릭을 찾아낸 아이 같다고 생각했다. 예전에는 필요했지만 지금은 그렇지 않은. 그 브릭을 어느 곳에 끼워야 할지 알 수 없었다. 이미 너무 많은 브릭이 꽂혀 있었다.

이제 캐럴은 세 번째 버스를 기다리고 있었다. 아주 오래 전부터 그곳에 앉아 나이를 먹은 사람처럼.

생일 전야

"자기도 빌리 알지?"

그날 밤 척 와이즈먼은 아들 피터가 2층에 있는 자기 방에서 잠든 것이 확실해진 순간부터 두 가지 사실을 알게 되었는데, 풍선의 종류가 놀라울 정도로 다양하다는 것과 어떤 종류의 풍선이든 거실 소파에 앉아서 한 시간 동안 풍선을 분다는 것은 사람이 할 짓이 아니라는 것이었다.

바꾼 지 일주일밖에 안 된 TV에서는 슈퍼볼 경기를 중계하고 있었다. 한 달 동안 메리를 설득한 끝에 구입한 물건이었고 매장 점원이 말한 대로 깜짝 놀랄 만큼 화질이 좋았다. 쿼터백이 자기팀 선수들을 향해 소리를 지를 때마다 씹는 담배가 치아 건강에 얼마나 심각한 악영향을 미칠 수 있는지 선명하게 볼 수 있었다. 그런 것은 쿼터백과 같이 경기를 뛰고 있는 선수들도 볼 수 없는 것이었다. 하지만 쿼터백의 단골 치과의사가 된 듯한 현장감도 풍선을 부는 일에는 별 도움이 되지 못했다.

"자기야, TV 소리 좀 줄여. 피터가 깨면 어쩌려고 그래."

메리는 식탁 의자에 앉아 있었고 그녀도 한 시간째 풍선을 불고 있었다. 척은 30분 전부터 아내가 이렇게 많은 풍선을 모두 어디에 사용할 것인지 궁금했다. 물론 척도 여덟 살짜리 아들의 생일 파티에 많은 풍선이 필요하다는 것은 알고 있었지만…… 척이 보기에 메리는 풍선으로 집 안을 가득 채우려는 것 같았고 그래야 다음 날 아침 여덟 번째 생일을 맞이한 피터가 깜짝 놀라며 행복해할 것이라고 생각하는 것 같았다.

"어쩌면 피터는 자기 생각과 달리 풍선에 관심이 없을지도 몰라."

낮에 마트에서 산 손 펌프가 있기는 했다. 하지만 그걸 사용하려면 엄청난 인내심이 필요했고, 펌프질을 하는 동안 척은 자기가 물건을 잘못 사용하고 있거나 손 펌프가 불량일 가능성에 대해 끊임없이 생각하며 분통을 터트려야 했다. 계속 바람을 불었더니 입안이 마르고 머리가 어지러웠다. 척은 허리를 펴기 위해 소파에서 일어났다. 몸이 살짝 휘청거렸고 며칠 전에 냉장고에 넣어둔 맥주가 얼마나 시원할지 생각했다. 모래를 한 움큼 집어삼킨 것처럼 목구멍이 까끌거렸다. 냉장고는 싱크대 옆에 있었고 그는 식탁을 지나치면서 고집스럽게 풍선을 불고 있는 메리의 어깨를 가볍게 한 번 쥐었다 놓았다.

"모든 자식들이 부모의 생각과 다르기는 하지. 나도 그랬고. 하지만 자기도 피터가 토미의 생일파티에서 어떤 표정을 지었는지 봤다면 그런 말은 못 할걸. 자기도 토미네 부모가 어떤 사람들인지 알잖아. 다섯 시간 동안 풍선만 불었대. 정말 그랬는지는 모르지만 토미 엄마 말로는 그래. 맥주 마실 거면 내 것도 하나 꺼내줘."

맥주는 얼음보다 차가웠다. 말도 안 된다는 건 알고 있었지만 냉장고 문을 열고 맥주병에 손을 대는 순간 척은 정말 그렇게 생각했다. 그는 버드와이저 두 병을 양손에 하나씩 들고 세 개의 식탁 의자 중 비어 있는 한 곳에 앉아 그렇게 하는 것이 자기에게는 아주 중요한 일인 것처럼 메리가 불어놓은 풍선들을 바라보며 느리게 말했다.

"며칠 전에 빌리가 죽었어."

"세상에, 정말이야?"

"자기 집 베란다에서 뛰어내렸대. 빌리는 아주 높은 아파트에 살았거든. 자동차 지붕 위로 떨어졌는데…… 찰리 말로는…… 찰리? 괜찮은 친구야. 복지 정책과 환경문제에 관심이 많아서 자기하고도 잘 맞을 거야. 언제 한번 집에 놀러 오라고 할게. 아무튼 찰리가 그러는데 사람이 그렇게 높은 곳에서 떨어지면 바닥에 닿기 전에 기절하게 된대. 빌리도 틀림없이 그랬을 거래. 나도 그랬기를 바라."

  척은 말을 마친 다음 맥주를 마시며 아내의 반응을 살폈다. 메리는 손가락으로 차가운 맥주병을 만지작거리며 거실 벽에 난 흠집을 바라보고 있었다. 그녀는 척의 말에 아무런 영향도 받지 않은 것 같았다. 맥주를 마시는 속도가 평소보다 좀 빠른 것 같기는 했지만 그게 방금 척이 한 말 때문이라는 보장은 없었다. TV에서는 아직 슈퍼볼 경기를 중계하고 있었고, 음량을 줄이기는 했지만 부엌까지 그 소리가 들렸고, 척은 고개를 돌려 메리가 바라보고 있는 거실 벽의 흠집을 바라보았다. 못을 박았다가 빼낸 자국 같았다. 아니면 못을 박다가 포기한 자국일 수도 있었다. 아무튼 척은 그곳에 못을 박은 기억이 없었다. 확실한 것은 누군가 그곳에 못을 박은 적이 있었고 메리와 척이 흠집을 보았고 이제는 그것을 무시할 수 없게 되었다는 점이었다. 그는 한참 동안 멍하니 있다가 빈 맥주병을 들고 의자에서 일어나며 말했다.

  "자기야, 맥주 한 병 더 할래? 난 한 병 더 할 건데."

  "그러지 뭐. 고마워, 자기."

척은 식탁 의자에 올라서서 거실 천장에 풍선을 붙이고 있었다. 키가 큰 편이었지만 거실 천장 전체에 풍선을 붙이려면 그렇게 해야 했다. 풍선은 전부 다 속에 하트 모양의 색종이 조각이 가득 든 컨페티 풍선이었는데 흔들릴 때마다 먼 곳에서 파도치는 소리가 났고 생일 파티가 끝나기 전에 모두 터져서 거실 바닥을 쓰레기장으로 만들 예정이었다. 메리는 풍선에 양면테이프를 붙였고 척이 손을 내밀 때마다 그것들을 주의 깊게 하나씩 건넸다. 그녀는 남편이 풍선을 제대로 붙이고 있는지 확인하기 위해 가끔씩 고개를 젖히고 천장을 올려다보다가 불현듯 할 말이 생각난 사람처럼 말했다.

"그래, 생각나. 모임에서 한 번 봤었잖아. 입이 크고 허영심 많은 개구리에 대해서 농담을 했던 것 같은데…… 난 그게 농담인지 잘 모르겠더라."

"누가 그랬다는 거야?"

"빌리 발렌타인 씨 말이야."

"아, 빌리가 가끔 그러기는 했지. 자기 말이 맞아. 나도 빌리의 농담은 농담인지 모르겠더라고."

몸을 움직일 때마다 식탁 의자가 약간씩 삐걱댔다. 심하게 흔들리는 것은 아니었지만 그대로 두면 곧 심하게 흔들릴 것 같았다. 척은 내일 당장 식탁 의자 세 개를 모두 손봐야겠다고 생각하며 자기가 붙인 풍선이 제대로 붙어 있는지 살폈다. 나빠 보이지 않았다. 메리와 피터의 눈에도 그렇게 보일 거라는 확신은 없었지만 그가 볼 때는 그랬다.

"하긴 입이 크고 허영심 많은 개구리에게 뭘 기대하겠어."

척이 볼 때 빌리는 그렇게 재미있는 사람이 아니었다. 컵 밑바닥처럼 두꺼운 뿔테 안경을 썼고, 와이셔츠 단추를 끝까지 채우고 다녔고, 식탁에 있는 음식을 알파벳순으로 먹었고, 누가 말할 때는 그 사람의 눈을 똑바로 쳐다봐야 한다는 말을 하루에 세 번 이상 했고, 그게 뭐든 낭비되는 것을 참지 못했고, 자기가 발가락 양말을 신었다는 사실을 아무도 알아서는 안 된다고 생각했고…… 물론 그런 사람들이 모두 빌리처럼 꽉 막혔다는 것은 아니지만 척이 회사에서 만나는 사람들 중에 빌리가 가장 꽉 막힌 사람이라는 것은 확실했다. 빌리가 일리노이주 전체에서 가장 꽉 막힌 고등학생으로 뽑혔었다는 소문도 있었는데 척은 말도 안 된다고 생각했지만 빌리는 다 옛날 이야기라고 말하며 넘어갔다.

"한 달쯤 전부터 빌리가 빌리 같지 않기는 했어."

"발렌타인 씨가 원래 어땠는데?"

"빌리가 원래 어땠는지 설명하려면 이야기가 아주 길어져, 자기야. 내가 말하려는 요점은 그냥 빌리가 빌리 같지 않았다는 거야."

"음, 뭔지 알 것 같아. 난 자기의 요점이 마음에 들어. 계속

해봐, 자기야."

거실 천장의 반이 풍선에 뒤덮여 있었다. 하지만 거실 천장의 나머지 반은 그렇지 못했다. 척이 풍선으로 완전히 뒤덮어주기를 기다리고 있는 것 같았다. 그럴 리 없지만 그래 보였고 언제나 그렇듯이 그래 보인다는 것이 본질에 더 가까웠다. 척은 식탁 의자에서 내려와 기지개를 켠 후에 방금 내려온 식탁 의자에 앉았다. 아까보다 더 많이 삐걱대는 것 같았고 점점 더 그렇게 될 것이 확실했다. 척은 바닥에 깔려 있는 카펫을 바라보았고 마지막으로 카펫을 세탁한 게 언제였는지 생각하려고 애쓰면서 빌리에 관한 이야기를 계속했다.

"어느 날 찰리가 요즘 빌리가 좀 이상해 보이는데 내 생각은 어떤지 묻더라고. 자기도 알겠지만 갑자기 뭘 물어보면 그것에 대해서 생각을 해봐야 하잖아. 아무튼 그때 찰리한테는 잘 모르겠다고 대답했어. 찰리는 그러냐며 대수롭지 않게 어깨를 한번 들썩이고는 가버리더라. 그런데 찰리가 가고 난 뒤에 생각해보니 빌리가 정말 이상해진 것 같긴 했어. 빌리가 빌리 같지 않았지."

"어땠는데?"

메리는 거실 바닥에 다리를 모으고 앉아서 척을 올려다봤고 그때 척은 메리가 자기 아내이기 때문에 그동안 너무 자주 잊혀졌던 사실을 떠올렸다. 메리는 사랑스러웠다. 균형

잡힌 몸과 탄력 있는 피부와 반듯한 이마와 하얗고 가지런한 치아와 귀를 살짝 덮고 있는 검은 단발 머리와……. 하지만 언제인가 메리가 그런 것들을 모두 잃어버린다 해도 메리는 여전히 사랑스러울 것 같았다.

"아, 그게 말이야. 음, 그러니까……."

빌리는 거의 모든 면에서 예전과 달라 보였다. 그는 여전히 컵 밑바닥처럼 두꺼운 뿔테 안경을 썼고, 와이셔츠 단추를 끝까지 채우고 다녔고…… 나무판자처럼 딱딱해 보인다는 점에는 변함이 없었다. 하지만 척이 아는 빌리와는 아주 조금 달랐고 그건 모든 것이 완전히 다르다는 뜻이었다. 무대 위에서 빌리와 똑같이 생긴 배우가 빌리의 옷을 입고 빌리처럼 행동하며 빌리라는 인물을 연기하는 것 같았다. 하지만 그건 빌리가 아니었다. 척이 볼 때는 그랬다.

"가만히 서 있을 때도 그래. 예전에 빌리는 그렇게 서 있지 않았거든."

"예전에 발렌타인 씨는 어떻게 서 있었는데?"

"예전에 빌리는…… 아무튼 절대 그렇게 서 있지 않았다는 것은 확실해."

빌리는 화장실 거울을 들여다본다거나 멍한 표정으로 복사기 앞에 서서 창밖을 바라보는 사람이 아니었다. 한 번쯤 화장실 거울을 들여다볼 수는 있지만 그렇게 오래, 그렇게 유심히 들여다보지 않았으리라는 것은 확실했다. 척은 예전의 빌리라면 복사기 근처에 창문이 있는지도 몰랐으리라는 데에 약간의 돈을 걸 의향도 있었다.

"발렌타인 씨한테 직접 물어보지 그랬어. 도움을 줄 수 있었을지도 모르잖아."

메리는 척의 이야기를 듣는 동안 다리를 폈다 모았다 폈다 모았다 하며 발가락을 꼼지락거렸다. 막 자정이 지난 시간이었고 까맣게 변한 거실 유리창 속에 척과 메리의 모습이 비치고 있었다.

"자기 말이 맞아. 도움을 줄 수도 있었겠지. 빌리가 도움을 원했다면 말이야."

척은 어디에서 빌리를 만나 그 이야기를 했는지 생각했다. 벽에 걸려 있는 보안관 모자 때문에 박물관으로 통하는 직원 휴게실일 수도 있었고 몇 년에 걸쳐서 꾸준히 척의 동전을 100달러쯤 꿀꺽한 복도 자판기 앞일 수도 있었고 어쩌면 두 곳 다 아닐 수도 있었는데 두 곳 다 아닐 가능성이 가장 높았다.

"아무튼 빌리가 그러는 건 처음 봤어. 마지막이기도 했지만."

빌리가 처음부터 그랬던 것은 아니었다. 척이 요즘 무슨 일이 있느냐고 묻자 빌리는 자기가 무슨 일이 있는 것처럼 보이느냐고 되물었고 그건 정말 무슨 일이 있는 사람이 할 수 있는 말이 아니었다. 그렇게 말한 다음 그냥 지나쳐 갔다면 척도 똑같이 그렇게 했을 것이었다. 하지만 빌리는 그러지 않았다. 그는 그 자리에 서서 바지 위에 손바닥을 문질러대기 시작했는데 누군가 당장 그만두라고 말하지 않으면 바지가 닳아 없어질 때까지 바지에 손바닥을 문질러댈 것 같았다. 그때 척은 빌리가 자기 눈을 피한다고 생각했고 곧 그게 얼마나 이상한 일인지 깨달았다.

"빌리는 무슨 말을 하려는 것 같았어. 갑자기 생각이 바뀐 것 같기는 했지만 말을 하려고 했던 것은 확실해."

그 후에도 빌리를 몇 번 봤지만 그때처럼 바지에 손바닥을 문지르거나 눈을 피하거나 할 말이 있는 사람처럼 보이거나 하지는 않았다. 빌리가 그랬던 것은 그때 한 번뿐이었고 척은 누구에게나 그래 보이는 때가 한 번은 있다고 생각했다. 하지만 척은 빌리가 자동차 지붕 위로 떨어졌다는 소식을 들었을 때 제일 먼저 그때를 떠올렸고 요즘도 가끔씩 그럴려고 그러는 것은 아니지만 그때를 떠올렸다.

"정말이야?"

"정말이야."

척은 지금이 새벽 두 시쯤일 거라고 생각했고 벽시계를

보며 자기 생각이 크게 틀리지 않았다는 것을 확인했다. 메리는 거실에서 피터의 생일 선물을 정리하고 있었다. 척이 할 일은 메리가 하는 일을 옆에서 지켜보는 일뿐이었다.

"시킬 일 있으면 말해."

"그럴게."

척은 자기가 준비한 선물 상자가 가장 클 거라고 생각했지만 멕시코에서 호화로운 노년을 보내고 있는 장인이 척의 선물 상자보다 더 큰 것을 보내와서 패배감을 느끼고 있는 중이었다. 장인은 한창때 유능한 사업가였고 사람들이 어떤 것을 좋아하는지와 어떻게 하면 적을 확실하게 쓰러트릴 수 있는지를 정확하게 알았다. 시애틀에 사는 척의 여동생은 매년 크기와 모양이 조금씩 다른 민속 인형을 보냈는데 척이 민속 인형은 남자애의 생일 선물로 그다지 좋은 선택이 아니라고 충고했지만 몇 년째 오빠의 충고를 깨끗하게 무시한 채 고집을 부리고 있었다. 척은 에밀리가 이번에도 자기가 해오던 방식을 고집해서 조카의 마음을 아프게 하지 않았기를 바랐다.

"그런데 빌리 말이야. 그때 무슨 말을 하려고 했을까?"

척은 갑자기 그 말을 했고 그런 뒤에 메리를 보며 자기가 왜 그 말을 했는지 설명해야 할 필요를 느꼈다. 정말 그러지는 않았지만 그래야 할 것 같기는 했다. 메리는 고개를 들어

척을 바라보고 어두운 유리창에 비친 자기의 얼굴을 바라본 다음 다시 척을 바라보면서 말했다.

"그 이야기는 그만하자, 자기야. 내일은 피터의 생일이잖아."

척과 메리가 있는 거실은 조용했다. 그것은 아무도 없는 곳이 조용한 것과는 전혀 달랐다. 더 적막했고 더 많은 것을 내포했고…… 척과 메리는 서로 다른 곳을 바라보며 그런 것들이 가만히 지나가기를 말없이 기다렸다.

반대편으로
걸어간 사람

런던의 겨울 안개는 페스트만큼이나 지독했다. 도시를 점령하고, 건물들을 집어삼키고, 사람들의 얼굴에 우울한 표정을 심어놓았다. 가로등 불빛마저 병든 짐승처럼 몽롱하게 빛나고 있었다.

　"찰스 군, 커피 한잔 부탁하네."

　아침 일찍 출근한 영국의 역사학자 토마스 하버 박사는 연구실 책상에 앉자마자 벽에 걸린 뻐꾸기시계를 보고 마른 손을 비비면서 모든 물건이 제자리에 놓여 있는지 확인한 다음 강의 시간표를 체크했다. 그날은 영국의 고대사에 관한 두 시간짜리 교양 강의와 프랑스 혁명을 다루는 전공 필수 강의가 잡혀 있었다. 두 강의 사이에는 학장과의 면담 일

정도 있었다. 하버 박사는 낡고 삐걱대는 의자에 등을 기대며 잠시 눈을 감았다. 꽉 막힌 학장실과 꽉 막힌 학장의 얼굴이 떠오르자 뒷목을 주무르며 나쁜 버릇을 고치지 못한 사람처럼 휴우 하고 한숨을 쉬었다.

"벌써 2주째 날씨가 이러네요."

조교 찰스 군이 커피 잔을 내려놓으며 날씨 이야기를 꺼냈다. 아닌 게 아니라 이번 안개는 정말 지독했다. 모든 걸 눅눅하고 뿌옇게 만들었다. 국영 채널에서는 코미디 프로의 방영 시간을 두 배 이상 늘렸다. 라디오에서도 활기찬 음악이 흘러나왔다. 하지만 그런 노력도 우울증에 걸려 자살하는 사람들을 막을 수는 없었다.

"걱정 말게, 찰스 군. 나는 아직 이 세상이 살 만한 곳이라고 생각한다네."

"저에게도 세상이 아직 살 만한 곳이었으면 좋겠네요."

박사 논문 준비에 쫓기고 있는 찰스 군이 이렇게 죽는소리를 할 때마다 토마스 하버 박사는 씨익, 웃는 얼굴로 받아주곤 했다.

"껍질을 깨야 날아갈 수 있을 걸세."

하버 박사는 커피를 마시며 자기 앞으로 도착한 우편물들을 확인했다. 학계에서 세미나를 개최한다는 안내문이 몇 장, 뒤늦게 제출한 학생들의 리포트가 몇 통. 하지만 그날은 좀 색다른 우편물이 그 속에 끼어 있었다. 제법 두툼하고 무거웠다. 모양으로 보나 무게로 보나 서적류 같았다. 토마스 하버 박사의 눈길을 끈 것은 겉봉투에 적혀 있는 발신인의 이름이었다.

러드 장군.

그럴 리 없다고 생각했다. 네드 러드는 19세기 초 영국의 공장 노동자였다. 재미있군, 19세기 초 네드 러드가 보낸 우편물이라……. 이런 유의 기발한 장난이라면 언제든지 대환영이었다. 토마스 하버 박사는 유쾌한 마음으로 봉투를 뜯었다. 거기에는 A4용지를 제본한 한 권의 노트와 이런 편지가 들어 있었다.

친애하는 토마스 하버 박사님께.
먼저 교수님의 멋진 콧수염에게 안부를 묻고 싶군요. 설마 사랑의 아픔 때문에 잘라버린 건 아니시겠죠? 이건 제자로서 드리는 진심 어린 충고입니다만……. 콧수염을 자르면 교수님의 인기도 끝장날 겁니다. 부디 면도기를 멀리하시길.

발송인은 에드먼드 크럼프턴이라는 졸업생이었다. 하버

박사는 10년 전 제자인 에드먼드의 얼굴을 떠올렸다. 엉뚱한 질문으로 교수들의 블랙리스트에 오르곤 했던 에드먼드였지만 토마스 하버 박사는 영특하고 재기발랄한 학생으로 기억하고 있었다. 에드먼드는 특히 19세기 초 영국의 산업혁명에 관심이 많았다. 그중에서도 찰스 디킨스 소설에 등장하는 도시 빈민들의 생활상에 매료되어 있었다. 그래서 박사 논문도 네드 러드를 주제로 한 내용이었다. 네드 러드는 당시에 일어난 러다이트 운동의 시발점이 되는 인물이었다. 거세게 밀려오는 산업혁명의 물결에 맞서 기술 혁신 반대를 외친 이들은 네드 러드를 '러드 장군'이라고 불렀다.

기뻐해주십시오, 교수님. 드디어 제가 네드 러드의 일기를 발굴했습니다. 원본은 물론 제가 가지고 있습니다. 보내드린 노트는 당연히 복사본이고요. 네드 러드의 일기라니, 믿어지십니까, 교수님?

에드먼드가 흥분하는 것도 당연했다. 지금까지 네드 러드는 가공의 인물로 알려져 있었다. 그 네드 러드의 일기가 발견되었다니 하버 박사 역시 흥분을 감출 수 없었다. 에드먼드의 편지를 다 읽고 난 하버 박사는 비록 복사본이지만 네드 러드의 일기를 떨리는 손으로 넘겼다.

1809년 12월 19일. 안개와 비.

 기록의 첫날이었다. 연대는 물론, 일기를 쓴 날짜와 그날의 기상까지 매우 정확하게 기록되어 있었다. 하버 박사는 잠시 눈을 감고 1809년의 영국을 떠올렸다. 이백몇 년 전의 영국이라……. 19세기 초 영국의 모습이 손에 잡힐 듯 눈앞에 펼쳐졌다.

 오늘은 천사고아원에서의 마지막 날이다. 마리아 수녀님에게서 선물도 받았다. 노트와 연필이다.
 "네드, 시간을 그냥 흘려보내선 안 돼. 이 노트에 너의 하루하루를 붙잡아두렴. 하나님께서 너의 앞길을 축복해주실 게다."
 나는 마리아 수녀님을 마귀할멈이라고 놀리기만 했는데……. 죄송한 마음에 고개를 들 수 없었다. 말썽을 일으킬 때마다 빗자루를 들고 쫓아오던 마리아 수녀님의 모습을 잊을 수 없을 것이다. 길바닥에 버려진 나를 키워준 이 천사고아원도 영원히 기억할 테다. 울보 아니카와 그녀의 인형 베티도, 싸움꾼 짐과 녀석의 호적수 존도 그립겠지.
 "나는 돈을 아주 많이 벌 거야."
 짐은 입버릇처럼 말했다.
 "부자가 되면 나를 버린 녀석들도 후회하겠지."

짐은 내일부터 공장에 나가 일한다. 며칠째 아이들을 붙잡아놓고 자랑을 늘어놓는다. 말수가 적은 존도 짐과 같은 공장에서 일하게 된 모양이다. 나는 조만간 마리아 수녀님의 소개로 조니 앤드 제이콥 공장에 찾아가 면접을 볼 예정이다. 지금은 조니 앤드 제이콥 공장에서 양말을 만든다는 것밖에 모른다.

지금까지 네드 러드는 베일에 싸인 인물이었다. 나이는 물론 성장 과정, 출생과 사망 연도까지, 네드 러드에 관한 모든 것들은 런던의 겨울 안개에 뒤덮인 듯 모호하고 흐릿하기만 했다. 당연히 네드 러드를 둘러싼 가설과 억측도 많았다. 그중에는 네드 러드가 고아원 출신일 거라는 설도 있었다. 만약 일기의 내용이 사실이라면 그 가설이 정설로 채택되는 셈이었다.

잠깐 생각에 잠겨 있던 토마스 하버 박사는 일기의 다음 페이지를 펼쳤다. 1810년 1월 5일. 기록의 첫날에서 보름 가까이 지난 시점이었다. 날씨는 '눈'이라고 적혀 있었다. 런던은 강설량이 적은 도시다. 예외적인 날씨라고 생각하며 토마스 하버 박사는 그날의 기록으로 눈을 돌렸다.

"교수님, 수업 시간 다 됐는데요."

찰스 군의 말을 듣고 고개를 들었다. 벽에 걸린 시계를 확인하니 수업 시간 5분 전이었다. 연구실 동으로 쓰는 별관에서 수업이 있는 본관까지의 거리는 대략 300미터. 눈썹이 휘날리도록 뛰어도 빠듯한 시간이었다.

"적절한 충고 고맙네, 찰스 군. 자네는 정말 유능한 조교야."

하버 박사는 교재를 챙기며 자리에서 일어났다. 네드 러드의 일기는 책상 서랍에 넣어두었다.

"누가 내 책상에 손을 대나 잘 감시해주게. 1미터 안으로 접근하면 사살해도 좋아."

연구실 문을 나서는 하버 박사의 등 뒤로 찰스 군의 목소리가 들려왔다.

"안개 속에서 길 잃어버리지 않게 조심하세요."

일과를 마치고 연구실에 돌아온 하버 박사는 자리에 앉자마자 책상 서랍부터 열었다. 다행히 네드 러드의 일기는 제자리에 놓여 있었다. 찰스 군을 일찍 퇴근시킨 것도 연구실에 혼자 남아 네드 러드의 일기를 읽기 위해서였다. 수업 시간에도 그 생각뿐이었다. 수업을 어떻게 했는지, 진도는 어디까지 나갔는지, 하나도 기억나지 않았다. 무엇보다 학장과의 면담이 곤욕스러웠다. 학장의 이야기에 집중할 수가 없었다.

"토마스 박사, 내 이야기 듣고 있는 겁니까?"

수업 방식과 강의 내용에 관한 면담이었다. 학생들 사이에서 하버 박사의 개방적인 수업 방식은 인기가 높았다. 딱딱한 정사보다는 비밀결사나 위인의 사생활 같은 이면의 역사를 위주로 하는 강의는 학생들의 절대적인 지지를 얻고 있었다. 하지만 한두 명쯤 그렇지 않은 학생들도 있었다. 연례행사처럼 학기마다 학장실로 불려가는 것도 그런 학생들 때문이었다.

"죄송합니다. 방금 뭐라고 하셨죠?"

학장의 잔소리가 길어졌다. 다음 수업을 핑계로 학장실을 빠져나왔다. 끝도 없이 계속되는 학장의 잔소리를 들으면서도 하버 박사의 머릿속에는 네드 러드의 일기에 관한 생각뿐이었다.

해가 진 이후에도 지독한 안개는 여전했다. 창밖으로 보이는 불빛들이 물에 잠긴 듯 몽롱하게 빛나고 있었다. 하버 박사는 머그잔에 물을 가득 붓고 인스턴트커피를 연하게 탔다. 실내조명을 끄고, 대신 스탠드를 켰다. 삭막하기만 했던 연구실 분위기가 조금은 아늑해진 기분이었다. 책상에 앉은 하버 박사는 몇 모금의 커피로 얼어 있던 몸을 녹였다. 그런 다음 기대에 찬 표정으로 양손을 비비며 네드 러드의 일기를 넘기기 시작했다.

1810년 1월 5일. 눈.

조니 앤드 제이콥 공장에서 일한 지도 일주일이 지났다. 아침 8시에 일을 시작해서 밤 11시까지 기계를 돌린다.

"열한 살이라고 했나, 네드? 한 사람 몫을 충분히 해낼 나이군."

사장인 조니 씨는 내 어깨를 두드리며 기대가 크다고 했다. 조니 씨를 실망시키지 않기 위해 열심히 일한다. 기계를 돌리는 일은 어렵지 않다. 빠른 손놀림으로 같은 작업을 반복하면 된다. 방적기가 돌아가는 속도에 맞춰 몸을 움직이면 되는 것이다. 하지만 먼지가 가득한 공장에서 하루 종일 방적기 소음에 시달리다 보면 몸은 어느새 녹초가 된다. 더러운 템스강을 따라 빈민촌 두 곳과 사창가 한 곳을 거쳐 하숙집에 도착하면 언제나 자정에 가까운 시간이다.

"네드, 나랑 같이 술이나 한잔할래?"

톰 아저씨다. 하숙집 입구에서 마주치면 술을 사달라고 조른다. 빨개진 코에 술 냄새를 풀풀 풍기면서 말이다. 그래서 사람들은 톰 아저씨를 '주정뱅이 톰'이라고 부른다. 처음에는 몇 번 같이 마신 적도 있었다.

"나도 한때는 조니 앤드 제이콥 공장에서 일했지."

하지만 지금은 실업자다. 그냥 주정뱅이 톰일 뿐이다. 항상 술에 취한 얼굴로 사람들에게 시비를 거는 주정뱅이 톰 아저씨. 하지만 이런 생각도 든다. 톰 아저씨 대신 내가 일하고 있는 건 아닐까? 미안한 마음에 몇 번 더 술을 샀다. 하지만 요즘은 너무 피곤해서 피하고 있다. 하숙집 앞에서 마주쳐도 거절한다.

"너 지금 일한다고 으스대는 거냐? 망할 놈 같으니라고."

지난번에는 멱살까지 잡혔지만……, 정말 너무 피곤하다. 일기를 쓰고 있는 지금도 자꾸만 하품이 나오고 눈꺼풀이 내려간다. 내일 아침 7시면 기상나팔 로저 씨가 찾아와 창문을 두드릴 것이다. 그때 일어나려면 빨리 자두어야 한다. 잠자리 기도를 못 한 지도 한참 됐다. 마리아 수녀님, 죄송합니다.

1810년대의 런던은 산업혁명에 따른 인구 밀집 현상으로 몸살을 앓고 있었다. 가내수공업이 몰락하자 거대 공장의 메카인 런던으로 일자리를 구하려는 노동자들이 몰려든 것이다. 때문에 공장 폐수로 악취를 풍기는 템스강 주변에는 수많은 빈민촌이 형성되었고, 매일 밤 안개에 뒤섞인 먼지들이 자욱한 스모그를 만들어냈으며, 그 속에서 수백만 마리의 쥐 떼가 빈민촌의 어두운 뒷골목을 활보하며 썩은 음식을 찾아 무리 지어 다녔다. 소매치기와 거지들, 창녀와 주정뱅이들이 판을 쳤으며, 하루에도 수십 건씩 강도와 절도, 살인 사건이 발생했다. 템스강을 따라 떠내려가는 영아의 시체 한두 구 정도는 구경거리 축에도 못 끼는 시대였다. 하버 박사는 역사학자로서 이 시대에 많은 관심이 있었다. 실제로 하버 박사는 〈19세기 초, 빛과 어둠의 도시 런던〉이라는 제목의 논문을 발표해 학계의 주목을 받기도 했다.

토마스 하버 박사의 논문에 따르면 당시 런던의 공장 노동자들은 하루 평균 열네 시간에서 열다섯 시간에 달하는 육체 노동에 시달렸다고 한다. 공장주들 사이에서는 이런 악덕 경영이 관행처럼 여겨졌다. 그도 그럴 것이 기계는 구매 비용뿐 아니라 유지 비용도 비싼 물건이었다. 일단 기계를 들여놓으면 최대한 효율적으로 사용해야 한다는 게 공장주들의 생각이었다. 반면 노동자들의 임금은 쌌다. 일자리를 구하려는 사람들도 많았다. 이러한 환경 속에서 19세기 초 런던은 자연스럽게 기계 중심의 사회로 변모해갔다. 자본가들에게 공장 노동자는 기계에 들어가는 부품에 불과했다. 문제를 일으키거나 고장이 나면 교체하면 그만이었다. 경영에 불만을 가진 자나, 산업재해로 불구가 된 자들은 그 자리에서 해고를 당했다. 교체할 부품은 얼마든지 있었다. 공장주들은 고아원 출신의 미성년 노동자들에게 값싼 임금을 주고 기계를 돌렸다. 피로에 곯아떨어진 미성년 노동자들을 깨우기 위해 아침마다 창문을 두드리며 돌아다니는 직종까지 생겨났다. 네드 러드의 일기에 등장하는 '기상나팔 로저

씨'가 바로 그런 사람이다. 토마스 하버 박사는 자신의 논문에서 당시의 상황을 다음과 같이 기술하고 있다.

여섯 살짜리 여아가 기계를 돌리는 모습도 흔히 볼 수 있었다. 하지만 아무도 이들을 돌보지 않았다. 공장에서 일하던 많은 고아들은 영양실조나 과로로 죽어갔다. 그렇지 않으면 불구가 되어 공장에서 쫓겨나기 일쑤였다. 수많은 고아들이 공장에서 도망쳐 빈민가의 뒷골목을 헤매고 다녔다. 절도나 강도, 매춘이나 구걸이 아니면 살아갈 방법이 없었다. 소녀 낙태가 늘어났다. 하수구에 모인 쥐들이 영아의 시체를 뜯어먹는 장면도 심심치 않게 목격할 수 있었다. 소년들은 일찍부터 술을 배웠다. 수입이 좋은 날은 하루 종일 술에 취해 지냈다. 자신들이 저지른 범죄를 무슨 영웅담처럼 떠벌리며 주정을 부리는 일이 이들의 유일한 낙이었다. 이러한 악조건들로 말미암아 당시 영국에 거주하는 노동자들의 평균 수명은 놀랍게도 열일곱 살 안팎에 불과했다.

문제는 이뿐만이 아니었다. 거대 공장과 기계의 출현은 성인 남성 노동자들에게도 큰 타격을 주었다. 기계를 돌리는 일은 단순하고 반복적인 작업이었다. 그래서 공장주들은 전문 기술을 가진 성인 남성 노동자보다 미성년자나 여성 노동자를 선호했다. 적은 임금으로 일을 시킬 수 있었기 때문이다. 무엇보다 다루기가 쉬웠다. 기계의 등장은 작업의 질뿐만 아니라 생산량에도 많은 영향을 주었다. 열 명이 하던 일을 두 명이 할 수 있게 되었다. 일자리를 잃은 성인 남성 노동자들은 대낮부터 술에 취해 런던의 뒷골목을 돌아다니며 행패를 부렸다. 19세기 초 런던의 빈민가는 그야말로 지옥이었다. 하지만 공장을 소유하고 있던 자본가들은 지옥과 동떨어진 에덴동산에서 살고 있었다.

소수의 자본가들은 거대 기계를 돌림으로써 막대한 부를 축적해나갔다. 일명 자본 귀족이라고 불리는 이들은 안락한 환경 속에서 사치스러운 생활을 누리는 극소수의 선택받은 인간들이었다. 연일 파티가 열렸고, 사교장마다 수십 대의 화려한 마차가 줄지어 도착했다. 고가의 턱시도와 드레스를 입고 입장한 이들에게는 엄청난 양의 음식과 백여 종에 달하는 고급술이 제공되었다. 거기서 자본 귀족들은 밤새도록 춤을 추며 환락을 즐겼다.

음성적인 성격의 고급 클럽 문화가 성행한 것도 이 시기였다. 클럽들은 교외의 저택 같은 은밀한 장소를 이용했다. 홀 중앙에 있는 무대에서 클럽 전속의 고급 창녀가 외설적인 춤을 추었고, 이 춤이 끝나면 뚜쟁이가 등장해 가면을 쓴 손님들을 상대로 노예 경매에 들어갔다. 고급 창녀들의 몸값은 인기 여하에 따라 천차만별이었다. 하지만 입찰 품목에 상관없이 경매장의 분위기는 언제나 과열 양상이었다. 누가 누구에게 얼마에 낙찰되느냐는 것은 여흥을 위한 이벤트에 불과했다. 이 퇴폐적인 놀이의 핵심은 사람을 사고판다는 행위 자체에 있었다. 경매에 참석한 자본 귀족들은 돈의 전능한 위력에 흥분했고, 그래서 엄청난 액수의 금액을 아무 망설임 없이 불렀다. 이렇게 해서 낙찰된 고급 창녀 한 명의 하룻밤 몸값은 당시 공장 노동자의 30년 치 임금에 육박했다.

이어서 토마스 하버 박사는 국가 산업구조의 재편에 따른 사회윤리 체계의 전면적인 전복 양상을 아래와 같이 기술한다.

산업혁명 과정에서 등장한 거대 공장은 가내수공업의 붕괴를 가져왔고, 이는 곧 기존 가치관의 해체로 이어졌다. 가내수공업에서는 인력의 확충을 위한 대가족 제도가 필수적인 요건이었다. 가장의 권위와 전통 가업에 대한 긍지, 그리고 가족 성원 간의 긴밀한 혈연적 유대가 중요시되었다. 하지만 가내수공업의 몰락과 함께 사회의 근간을 이루고 있던 가족관 역시 크게 흔들릴 수밖에 없었다. 대가족은 핵가족으로 흩어졌고, 가업에 대한 긍지 역시 희박해졌다. 하지만 무엇보다 심각한 문제는 공장 지대가 밀집해 있는 런던으로 인구가 집중되면서 나타난 현상들이었다. 도시 인구의 급증은 인간의 희소성을 하락시켰다. 모든 가치 기준이 돈에 의해서 결정되고 분류되었다. 이에 따라 인본주의가 고사했으며, 황금만능주의와 배금사상이 사회 저변에 뿌리 깊게 자리 잡았다.

산업혁명으로 인한 부의 양극화 현상은 노동자들의 현실을 지옥으로 만들었다. 과거 봉건 귀족들이 법률과 제도로 민중을 탄압했다면 자본 귀족들은 그들보다 훨씬 강력하고 악랄한 방법으로 노동자들을 착취했다. 자본가들의 손에는 노동자들의 생계라는 막강한 무기가 쥐어져 있었다. 그 무기를 손에 든 자본 귀족들은 신과 같은 존재였다. 반면 공장 노동자들은 인간의 존엄성마저 박탈당한 채 끝도 없는 나락으로 추락에 추락을 거듭할 수밖에 없었다.

네드 러드의 일기에서도 이러한 사회상은 그대로 드러났다. 1810년 1월 23일자 기록이다.

오늘은 사장인 제이콥 씨의 아들이 공장에 방문했다. 비싼 외투 속에 체크 무늬가 들어간 멋진 재킷을 입고 있었다. 모자

밑으로 보이는 금발이 잘 익은 밀밭처럼 황금빛으로 빛나고 있었다. 손에 낀 가죽 장갑도 고급스러워 보였다. 저런 걸 사려면 나는 이곳에서 몇 달이나 일해야 할까? 키는 나와 비슷했다. 대신 혈색이 나보다 훨씬 좋아 보였다. 덩치도 훨씬 컸다. 알고 보니 나이도 나와 동갑이었다. 녀석의 이름은 척 베넷이었다.

여기까지 읽은 토마스 하버 박사는 잠깐 고개를 들어 연구실 창밖을 응시했다. 저 멀리 안개에 점령당한 런던의 야경이 흐릿하게 펼쳐져 있었다. 척 베넷이라는 이름이 자꾸만 머릿속에 맴돌았다. 하버 박사는 차갑게 식어버린 커피 한 모금을 입안에 물고 생각에 잠겼다. 낯설지 않은 이름이었다. 자신의 논문에서도 거론한 적이 있는 이름이라 기억을 되살리는 데도 어려움이 없었다.

1830년은 영국의 노동당이 창당된 해였다. 그로부터 6년 후인 1836년, 노동당의 의원 중 스물아홉 명이 그해에 열린 총선거에서 당선돼 의회에 진출한다. 그중 한 명이 척 베넷이었다. 젊은 변호사 출신의 척 베넷은 특히 노동자들의 인권 문제에 관심이 많았다. 의회에 진출한 이후에도 척 베넷은 왕성한 활동을 벌인 인물로 유명했다. 노동조합의 권리를 주장하는 한편, 보수 자본가들 편에 서 있는 정부에 맞서 사회 개혁을 부르짖기도 했다. 1856년, 향년 57세의 나이로 생을 마감한 척 베넷은 임종의 순간 다음과 같은 유명한 말을 남긴다.

"저는 노동자를 위해 일한 것이 아닙니다. 저는 인간을 위해 일했을 뿐입니다."

당시 척 베넷은 '양치기 개'라는 별명으로 더 잘 알려져 있었다. 늑대처럼 착취를 일삼는 자본가들로부터 노동자들의 인권을 지키는 양치기 개 척. 그 척 베넷이 공장주의 아들이었고, 그 공장에서 네드 러드와 만나게 된다니…… 하버 박사는 예기치 못한 전개에 큰 충격을 받았다. 한편으로는 이 둘의 만남이 어떤 방향으로 흘러갈지 궁금하기도 했다. 토마스 하버 박사는 일기의 다음 부분을 계속 읽어나갔다.

수다쟁이 질 아줌마가 녀석의 뒤를 따라다니며 시중을 들었다. 도련님, 도련님 해가면서 녀석의 비위를 맞추던 질 아줌마는 작업에서 열외된 게 좋은지 사마귀가 박힌 코를 킁킁대면서 계속 싱글벙글 웃었다. 행운아는 한 명 더 있었다. 녀석의 말 상대로 나 역시 질 아줌마와 함께 작업에서 열외되는 행운을 누렸다.

녀석은 질 아줌마만큼이나 말이 많았다. 공장을 돌아다니는 동안 계속 웃고 떠들어댔다. 말 상대로 뽑힌 나 역시 녀석의 박자에 장단을 맞춰야 했다. 그러는 동안 부잣집 도련님의 명랑함에 전염되었던 걸까. 쓸데없이 말수가 늘고, 작은 일에도 웃음이 헤퍼졌다. 시간은 그런대로 즐겁게 흘러갔고, 나도 녀석이 좋아지기 시작했다.

"이거 먹을래?"

녀석에게서 주황색 사탕도 받았다. 색깔이 들어간 사탕은 처음이었다. 천사고아원에서도 성탄절이나 추수감사절에는 사탕을 먹을 수 있었다. 하지만 대부분은 흰색 사탕이었고, 몇몇 운이 좋은 아이들만이 검은색 사탕을 차지할 수 있었다. 그리고 나는 검은색 사탕을 차지할 만큼 운이 좋은 아이가 아니었다. 주황색 사탕에서는 오렌지 맛이 났다. 혀끝으로 파고드는 아찔한 달콤함. 어디선가 신나고 경쾌한 음악이 들려왔다. 공장 안이 오렌지빛으로 물들었다. 기계 앞에서 일하고 있던 사람들이 음악에 맞춰 춤을 추고 있는 것처럼 보였다. 하지만 주황색 사탕은 금방 녹아 없어졌다. 음악은 기계 돌아가는 소리로, 공장은 다시 어두운 회색으로 변했다. 그 속에서 우울한 표정의 사람들이 기계를 돌리고 있었다. 녀석의 불룩한 주머니에서 주황색 사탕들이 달그락 소리를 냈다. 하지만 나에게는 그걸 달라고 할 용기가 없었다.

"너도 이 공장에서 일하니?"

나는 우울한 목소리로 "응"이라고 대답했다.

"그럼 기계를 돌려봐."

녀석은 왜 갑자기 나에게 그런 요구를 했을까? 많은 사람들이 기계를 돌리고 있었다. 그런데도 녀석은 나에게 명령했다. 녀석은 사장의 아들이었다. 나는 거절할 수 없었기 때문에 기계를 돌렸다.

다시 공장 견학을 시작했지만 녀석은 더 이상 수다를 떨지 않았다. 나 역시 말을 걸지 않았다. 녀석은 말 상대인 나를 불편해하는 것 같았다. 질 아줌마에게만 몇 마디 던질 뿐, 나에게는 굳게 입을 다물었다. 나도 그런 부잣집 도련님이 불편하기는 마찬가지였다. 헤어질 때까지 우리는 한 마디 말도 나누지 않았다.

두 소년의 침묵 속에는 많은 의미가 담겨 있었다. 노동자들을 위해 평생을 바친 양치기 개 척도, 러다이트 운동의 시발점이 되는 네드 러드도 당시의 시대상을 뛰어넘지는 못했던 것이다. 그러기에 그들은 너무 어렸다. 토마스 하버 박사는 불편한 마음으로 침묵 속에 잠겨 있는 두 소년을 생각했다. 노동에 대한 공포와 지배자로서 느끼는 두려움, 가진 자에 대한 증오와 거기에서 오는 열등감, 19세기 초 영국의 사회상은 열한 살짜리 소년들이 짊어지기에는 너무 무거운 짐이었다.

열다섯 장 정도의 노트를 넘기는 동안 네드 러드의 일기 속에서는 석 달이라는 시간이 흘렀다. 특별한 사건도, 눈길을 끄는 인물도 등장하지 않는 일상적인 내용이었다. 공장에서의 힘든 육체 노동, 언제나 부족한 수면 시간……. 아무리 열심히 일해도 네드 러드에게 떨어지는 건 형편없는 식사뿐이었다. 기계를 돌리면서 꾸벅꾸벅 졸고 있는 네드 러드의 모습은 토마스 하버 박사의 마음을 아프게 했다.

1810년 4월 7일. 하늘에는 검은색과 회색 물감을 마구 휘저어놓은 듯 무거운 먹구름이 낮게 깔려 있었다. 아침부터 내린 비로 런던의 거리는 온통 진흙탕으로 변해 있었고, 잿빛으로 물든 공장 건물들은 검고 독한 매연을 뿜어 올리고 있었다. 공장에서 돌아온 네드 러드도 지친 얼굴로 일기장을 펼쳤다. 희미한 램프 빛이 일기장을 동그랗게 비추고, 멀리서 마차가 지나가는지 포도를 때리는 쇠 말편자 소리가 아련하게 들려오고 있었다.

작업 시간에 입을 열 수 있는 사람은 감독관 데이먼드 씨뿐이다. 단두대 데이먼드. 채찍 같은 혀를 휘두르며 욕설과 잔소리를 늘어놓는 악당이다.
"잡담 금지! 한눈팔지 말고 일해!"

술 냄새를 풍기며 여공들의 몸에 손을 대는데도 찍소리 한마디 하는 사람이 없다. 목이 날아갈까 봐 두렵기 때문이다. 오늘 단두대 데이먼드 씨의 먹이가 된 사람은 클라라 아줌마였다. 암캐니 갈보니 하는 소리를 들으며 아랫입술을 지그시 깨무는 클라라 아줌마. 클라라 아줌마에게는 공장에서 일하다 불구가 된 남편 칼 씨와 돈벌이를 시키기에는 아직 어린 두 아이가 있다.

"일들 안 하고 뭘 봐. 나랑 눈이 마주치는 놈은 당장 잘라버릴 거야."

모두 고개를 숙인 채 일을 계속했다. 클라라 아줌마에 대한 동정, 단두대 데이먼드 씨에 대한 증오, 이런 감정이 얼굴에 가득했지만 누구 하나 입을 열지 않고 기계를 돌렸다.

"안녕, 네드?"

그때 누군가의 목소리가 들려왔다. 아주 가까운 곳이었다. 나는 두려움에 질린 눈으로 주위를 둘러봤다. 하지만 아무도 없었다. 마침 근처에서 어슬렁거리고 있던 단두대 데이먼드 씨와 눈이 마주쳤다.

"너도 잘리고 싶냐?"

뒤통수를 얻어맞고 하던 일을 계속했다. 처음에는 잘못 들은 줄 알았다. 하지만 수줍은 듯 사랑스럽게 속삭이던 그 목소리는 환청이 아니었다.

"걱정할 거 없어. 내 목소리는 너에게만 들리니까."

이름은 제니라고 했다. 내 또래의 여자아이였지만 치마를 입지도, 머리를 양 갈래로 땋지도 않았다. 제니는 특별했다. 제니는 강하고 거대했으며 힘도 나보다 훨씬 셌다. 그런 제니가 나에게 손을 내밀며 다정한 목소리로 속삭였다.

"네드, 우리 친구 하지 않을래?"

나도 제니를 향해 손을 뻗었다. 그렇게 제니와 나는 친구가 되었다.

이날의 기록에서 토마스 하버 박사는 이상한 점을 발견했다. 단두대 데이먼드 씨와 클라라 아줌마에 관한 이야기는 앞에서도 몇 번 나왔기 때문에 이미 알고 있었다. 문제는 갑자기 등장한 제니였다. '두려움에 질린 눈으로 주위를 둘러'보던 네드 러드가 '아주 가까운 곳'에 있는 제니를 알아보지 못했다는 부분에서 하버 박사는 고개를 기울였다. 제니에 대해 묘사하는 대목도 인상적이었다. '내 또래의 여자아이'라는 부분과 '강하고 거대했으며 힘도 나보다 훨씬 셌다'라는 부분은 앞뒤가 맞지 않았다. 토마스 하버 박사는 그 부분으로 돌아가 다시 한번 읽어보았다. 역시 모순되는 내용이었다. 이 모순을 어떻게 해석해야 한단 말인가? 단순한 문장의 오류일 수도 있었다. 하지만 모순의 이면에는 항상 중요한 의미가 숨겨져 있다는 걸 토마스 하버 박사는 오랜 경험을 통해 알고 있었다. 토마스 하버 박사는 1810년 4월 7일의 비 내리는 런던을 떠올렸다. 템스강의 악취를 맡으며 도착한 양말 공장에서 열한 살짜리 소년이 기계를 돌리고 있었다. 바로 일기의 주인공 네드 러드였다. 하지만 제니라는 이름의 소녀는 어디에도 보이지 않았다. 고아원 출신의 공장 노동자 네드 러드와 그가 돌리고 있는 방적기뿐이었다.

순간 토마스 하버 박사는 머릿속에 떠오른 어떤 생각 때문에 괴로워했다. 그럴 리 없다고 생각하며 고개를 저었다. 하지만 역사라는 괴물은 그동안 얼마나 많은 부조리를 우리에게 강요해왔던가. 믿을 수 없는 폭력과 의미 없는 살육, 그릇된 신념과 궤도를 이탈한 이념을 사실로 만들었던가. 네드 러드의 일기 속에서도 역사라는 괴물은 그런 횡포를 부리고 있었다.

제니 하그리브스. 그녀의 아버지 제임스 하그리브스는 1764년 방적기를 발명한다. 그로부터 6년 후인 1770년, 특허를 딴 그는 자신이 발명한 방적기에 딸의 이름을 붙여 부르게 된다. 네드 러드의 일기에 등장하는 소녀의 이름과 제임스 하그리브스가 발명한 방적기의 이름이 동일하다는 사실은 과연 우연의 일치일까? 토마스 하버 박사는 이 물음에 대한 답을 찾기 위해 일기의 다음 페이지를 펼쳤다. 일기의 날짜는 1810년 4월 10일이었다.

제니와 함께 있으면 즐겁다. 내 안에 담겨 있던 이야기들이 끝도 없이 쏟아져 나와 지루한 시간의 구덩이를 순식간에 메워버린다. 태어나자마자 강보에 싸여 버려진 일, 고아원에서의 생활, 그곳에서 만난 친구들, 마리아 수녀님, 그리고 조니 앤드 제이콥 공장에서 겪은 일 등 대부분 우울하고 재미없는 이야기들이지만 제니는 웃는 얼굴로 내 눈을 바라보며 끝까지 들어준다. 이야기가 끝나면 다정한 목소리로 위로의 말을 해주는 것도 잊지 않는다.

"괴로운 기억은 잊어, 네드."

제니의 말은 마법의 주문 같다. 검은 망토가 걷히는 순간 괴롭고 아픈 기억들은 흔적도 없이 사라져버린다. 오늘도 나는 잊고 싶은 기억 하나를 꺼내 제니에게 내밀었다. 부잣집 도련님 척 베넷에 관한 이야기. 녀석이 준 주황색 사탕에 대해서도, 그 사탕이 보여준 오렌지 맛 환상에 대해서도 모두 이야기했다. 이야기가 끝나갈 무렵 제니는 슬픈 목소리로 내 이름을 불렀다.

"아, 불쌍한 네드!"

그런 다음 이런 약속도 했다.

"너도 척처럼 될 수 있어. 내가 너를 척 베넷처럼 만들어줄

게."

"정말?"

"너는 척 베넷처럼 될 거야. 내가 그렇게 만들어줄 테니까."

이번에도 제니의 말이 마법을 부릴 수 있을까? 그게 헛된 기대라는 걸, 기대가 큰 만큼 실망도 커진다는 것을 알고 있었지만 제니의 이야기를 듣는 동안 나는 그런 기대에 부풀어 올랐다.

"나는 너에게 많은 것을 줄 수 있어, 네드. 네가 원하는 모든 것을 말이야. 좋은 옷과 멋진 신발을 갖고 싶니? 커다란 저택에 살면서 송아지만 한 개를 기르는 건 어때? 나와 같이 있으면 이 모든 게 너의 것이 될 거야. 네가 왕자님 같은 옷을 입고 푹신한 침대에 누워 잠들어 있으면, 나는 너를 위해 멋진 장난감과 해적들의 보물 지도를 준비할게. 네가 잠에서 깨면 맛있는 음식을 배불리 먹고 우리 둘이서 신나는 모험을 떠나는 거야. 상상해봐, 네드. 이 모든 게 너의 것이라고. 나는 너를 행복하게 만들어줄 수 있어. 그러니 네드, 너의 행복을 생각하면서 나를 돌려줘."

제니에게는 주황색 사탕도 많다고 했다.

"하나 줄까?"

사탕 하나를 받아 입안에 넣었다. 달콤한 오렌지 맛이 났다.

역시 제니의 정체는 방적기였다. 공장에서 열다섯 시간씩 일해야 하는 열한 살 소년 네드 러드에게 어느 날 방적기 제니가 말을 걸어온 것이다. 토마스 하버 박사는 메마른 웃음을 지으며 네드 러드의 일기를 계속 읽어나갔다. 제니의 이야기로 가득 찬 일기를 보면서 토마스 하버 박사는 다시 한번 쓴웃음을 지어야 했다. 다정하고 상냥한 제니. 때로는 누이처럼, 때로는 신부처럼 힘들고 지친 네드를 포근하게 감싸주는 제니. 네드의 일기 속에서 제니는 천사의 모습으로 묘사되고 있었다. 제니와 함께 있으면 네드는 언제나 행복했다. 눈부실 만큼 아름다운 환상이 비참하고 초라한 현실을 잊게 해주었다. 제니가 들려주는 화려하고 멋지고 황홀한 이야기들. 네드는 제니의 이야기를 들으면서 공상에 빠졌다. 동화 속의 주인공처럼 좋은 옷을 입고 맛있는 음식을 먹으면서 행복하게 웃고 있는 자신의 모습을 그려보곤 했다. 두 달이라는 시간이 네드 러드의 일기 속에서 그렇게 흘러갔다.

벽에 걸린 시계를 보니 어느새 새벽 4시 반이었다. 잠시 현실로 돌아온 토마스 하버 박사는 기지개를 켜며 뭉친 어깨를 주물렀다. 아직도 창밖의 런던은 캄캄한 어둠 속에 숨어 몸을 웅크리고 있었다. 차갑게 식은 커피를 버리고 포트에 물을 올렸다. 잠시 후, 티백에서 우려낸 홍차를 한 손에

든 토마스 하버 박사는 액자처럼 걸려 있는 창문 앞에 서서 어둠에 잠겨 있는 런던 시내를 가만히 바라보았다. 지금으로부터 약 200년 전의 런던. 산업혁명 이후 연일 고도의 성장을 거듭하면서 세계경제의 메카로 군림하던 꿈의 도시. 하지만 그 그늘에는 무엇이 있었던가? 공장에서 뿜어내는 매연과 그 매연이 만든 스모그 때문에 낮게 내려앉은 하늘. 공장이라는 지옥에서 하루 종일 기계를 돌려야 했던 노동자들. 폐수로 오염된 템스강의 악취. 거지와 창녀와 소매치기들이 우글거리던 빈민가. 밤마다 주정뱅이들의 노랫소리가 처량하게 울려 퍼지던 런던의 뒷골목. 발전이라는 이름의 광기에 사로잡힌 채 서서히 미쳐가던 런던. 그리고 그 지옥 속에서 영혼마저 빼앗긴 채 모든 걸 잃어버려야 했던 사람들……. 토마스 하버 박사는 방적기를 돌리고 있는 네드 러드의 모습을 떠올렸다. 창밖의 런던은 어느새 200년 전 그때의 모습으로 변해 있었다.

이제 얼마 남지 않은 네드 러드의 일기가 스탠드 불빛을 받으며 토마스 하버 박사를 기다리고 있었다. 일기 속의 날짜는 1810년 6월 21일이었다. 이빨처럼 날카로운 공장의 지붕들과 어디선가 들려오는 어린아이의 울음소리, 피로에 지친 공장 노동자들의 무표정한 얼굴이 토마스 하버 박사 주위를 순식간에 에워쌌다.

이제 더 이상 제니가 없는 삶은 생각할 수 없다. 제니는 나의 모든 것이다. 가끔 제니가 멀리 떠나가는 상상을 한다. 그런 날에는 어김없이 악몽에 시달린다. 빈 껍데기처럼 아무것도 남지 않은 내가 어둠 속에서 몸을 웅크린 채 제니의 이름을 부르며 울고 있다. 슬픈 꿈이다. 몸이 점점 줄어든다. 어느새 아기가 된 나. 더러운 강보에 싸여 길바닥에 버려져 있다. 아무리 울어도 나를 버리고 간 사람들은 돌아오지 않는다. 제니도 나를 그렇게 버리고 가버릴까? 두렵다. 공포가 나를 지배한다.

네드 러드는 강한 집착을 보이고 있었다. 그 집착은 공포로 변했고, 공포는 다시 절대적인 복종으로 탈바꿈한다. 1810년 7월 2일의 일기다.

제니와 함께 있으면 내가 얼마나 작고 약한 존재인지 깨닫게 된다. 제니의 말은 언제나 옳다.
"이런 네드! 왜 같은 실수를 되풀이하는 거야. 이게 얼마나 이상한 일인 줄 아니?"
제니에게는 실수가 없다. 제니는 완벽한 존재다.
"넌 정말 제대로 할 줄 아는 게 하나도 없구나."
나는 아무것도 아니다. 하지만 제니는 모든 것이다.

"행복해지고 싶니? 그럼 나를 돌려."

생각 같은 건 하지 않는다. 제니가 시키는 대로 몸을 움직일 뿐이다. 그럼 나는 행복해진다.

제니가 지배하고 네드가 거기에 복종하는 주종 관계가 형성되었다. 네드는 충실하고 부지런한 하인이었다. 아니, 어쩌면 기계의 수많은 부품 중 하나였을지도 모른다. 말없이 기계를 돌리는 네드. 영혼을 빼앗긴 무표정한 얼굴로 바쁘게 손을 움직이는 네드. 그런 네드는 이미 사람이 아니었다. 기계에 부착된 소모품 중 하나일 뿐이었다.

여기서 토마스 하버 박사는 자신의 오랜 친구인 다니엘 한슨 박사를 떠올렸다. 다니엘 한슨 박사는 문명의 발전에 대해 부정적인 견해를 고집하는 역사학자로 유명했다. 언제나 중절모에 파이프를 물고 다니는 다니엘 한슨 박사는 학계에서는 괴짜로 통했지만 토마스 하버 박사의 생각은 좀 달랐다.

"자네는 참 재미있는 친구야."

이게 다니엘 한슨 박사에 대한 토마스 하버 박사의 평가였다. 둘은 체스의 호적수이기도 했다. 날이 좋을 때면 공원 벤치에 앉아 체스를 두며 시간을 보내곤 했다. 한번은 체스 말을 옮기던 다니엘 한슨 박사가 이런 말을 한 적도 있었다.

"문명의 발전은 청동기에서 멈춰야 했어. 철기의 시작과 함께 판도라의 상자가 열린 거지. 천국이 지옥으로 변했으니까."

다니엘 한슨 박사는 특히 영국의 산업혁명에 관해서 비판적인 생각을 가지고 있었다.

"산업혁명을 다른 말로 하면 뭔지 아나? 괴물의 탄생이야. 사람을 잡아먹는 괴물 말일세."

"그 괴물이 자네의 체스 실력까지 꿀꺽한 모양이군. 체크메이트야."

네드 러드의 일기를 읽는 동안 토마스 하버 박사는 다니엘 한슨 박사의 의견이 옳을지도 모른다고 생각했다. 산업혁명은 괴물을 탄생시켰다. 그렇게 탄생한 제니라는 괴물이 네드 러드라는 소년을 잡아먹고 있었다. 1810년 7월 18일의 일기에 그 모습이 그대로 기록되어 있었다.

"나를 돌려!"

제니가 명령했다.

"더 빨리, 더 빨리! 다른 건 생각하지 마. 내 말에 귀 기울이고, 내 명령에 복종해. 최대한 단순하고 반복적으로 움직여. 절대로 한눈팔면 안 돼. 넌 끊임없이 만들고 생산하면 되는 거야. 내가 시키는 대로 해야 너는 행복해질 수 있어."

이제 제니는 내 이야기를 들어주지 않는다. 더 이상 이름도 불러주지 않는다. 화가 난 듯 빠른 목소리로 명령하고 꾸짖고 질책할 뿐이다.

"네드, 좀 더 열심히 할 수 없니?"

같은 해 8월의 일기를 보면서 토마스 하버 박사는 참을 수 없는 연민에 괴로워했다. 갑자기 찾아온 거식증, 부족하고 초라한 식사 뒤에 먹은 걸 그 자리에서 토해내는 네드 러드의 모습……. 위에서 일어나는 경련과 거부반응 때문에 어린 네드 러드는 끔찍한 고통을 겪고 있었다. 8월 5일의 일기에서 네드 러드는 '몸이 음식을 밀어내는 것 같다'고 적었다. 그로부터 사흘 후인 8월 8일에는 '배가 고프지만 아무것도 먹을 수 없다'라는 내용이 나온다. 다시 사흘이 흐른 8월 11일의 일기를 보면서 토마스 하버 박사는 슬픔과 연민이 경악으로 변하는 충격을 경험했다. 네드 러드는 공장에서 쓰는 기름을 먹고 있었다. 옆에 있던 석탄도 한 입 깨물어 먹었다. 입술이 까맣게 변했지만 허기와 갈증이 사라졌다. 토하는 일도 없었다. 그때부터 네드 러드는 음식 대신, 공장에 있는 기름과 석탄을 몰래몰래 훔쳐 먹기 시작했다.

8월의 일기를 다 읽고 난 하버 박사는 콧수염을 만지면서 깊은 생각에 잠겼다. 네드 러드에게 일어난 현상을 어떻게 해석해야 할까? 답은 하나였다. 네드 러드는 기계에 동화되고 있었다. 자의에 의해서든, 제니의 명령에 의해서든 네드 러드는 기계의 부품으로 변해가고 있었다. 그렇게 네드 러드는 점점 기계가 되어갔다.

하지만 불행은 거기서 끝나지 않았다. 그해 9월, 기름과 석탄을 먹으며 하루 종일 고된 노동에 시달리던 네드 러드는 결국 심한 현기증을 느끼며 공장 바닥에 쓰러지고 말았다. 영양실조와 과로 누적이 원인일 거라고 토마스 하버 박사는 생각했다. 당연히 자리에 누워서 꼼짝도 할 수 없게 되었다. 공장에 나가지도 못했고, 기계를 돌릴 수도 없었다. 네드 러드는 하루 종일 낮은 천장을 바라보며 혼자 지냈다. 딱딱하고 더러운 침대와 그곳에 누워서 혼자 죽어간다는 생각이 어린 네드 러드를 괴롭혔다. '외로움은 갈증이나 배고픔보다 훨씬 견디기 힘든 고통'이라고 그즈음 네드 러드는 자신의 일기에 적고 있다.

1810년 9월 23일, 기록의 마지막 날이다. 그리고 그날은 한 달 동안 병석에 누워 있던 네드 러드에게 기적이 일어난 날이기도 했다. 늦은 밤, 동그랗게 켜진 불빛 아래 기운을 차린 네드 러드는 멀리서 울려오는 주정뱅이의 노랫소리를 들으며 자리에서 일어났다. 약간의 현기증과 차가운 밤공기, 지독한 런던의 안개는 문제가 되지 않았다. 기름과 석탄이 먹고 싶었다. 무엇보다 제니가 보고 싶었다. 네드 러드는 공장에 가기 위해 집을 나섰다. 빈민가의 뒷골목을 빠져나오자마자 템스강의 악취가 밀려왔다. 네드 러드는 그 길을 따라 지친 발걸음을 옮겼다. 거친 사내들의 고함과 손님을 부르는 매춘부들의 아우성이 늦은 밤, 안개 낀 템스강 주변에 가득했다.

　내가 없는 동안에도 공장은 변한 게 없었다. 환하게 켜진 불빛, 그 속에서 일하는 사람들……. 하지만 모든 게 낯설었다. 한참 동안 문 앞에 서서 기계 돌아가는 소리를 들으며 망설였다. 이 문을 열고 들어가도 될까? 사람들이 나를 알아볼까? 웃는 얼굴로 나를 반겨줄까? 두려웠다.

　그래서 네드 러드는 공장 뒤로 돌아갔다. 거기에는 창문이 나 있었다. 네드 러드는 까치발을 들고 창문 안을 훔쳐보았다. 눈부신 공장 불빛이 네드 러드의 눈을 시리게 했다. 기계와 사람들이 움직이고 있었다. 뿌연 먼지와 기계에서 나는 소음도 예전 그대로였다. 단두대 데이먼드 씨는 고함을 지르고 있었고, 사람들은 모두 우울한 표정으로 고개를 숙이고 있었다. 네드 러드는 주위를 두리번거리며 제니를 찾았다. 제니도 그대로였다. 변한 건 아무것도 없었다. 제니는 여전히 양말을 만들고 있었다. 그리고 네드 러드 또래의 어린 소녀가 고사리 같은 손으로 제니를 돌리고 있었다…….

토마스 하버 박사는 네드 러드가 느꼈을 충격과 두려움을 떠올렸다. 세상에 혼자 버려졌다는 외로움과 그 외로움이 불러일으키는 공포. 강보에 싸인 채 버려진 아기의 울음소리와 공장 안을 훔쳐보는 네드 러드의 절망에 찬 얼굴이 한순간 토마스 하버 박사의 머릿속에 각인처럼 새겨졌다.

공장 벽에 등을 기대고 앉아 말없이 어두운 저편을 응시하는 네드 러드. 그렇게 얼마나 시간이 지났을까? 요란한 발소리와 함께 사람들이 공장을 빠져나가고 있었다. 곧 공장의 불이 꺼졌다. 공장 문을 닫은 단두대 데이먼드 씨가 저 멀리 사라지는 모습을 확인하고 네드 러드는 공장 안으로 숨어들었다. 어린아이가 겨우 지나다닐 수 있는 개구멍을 통해서였다.

"안녕, 제니?"

제니에게 가서 인사를 했다.

"네드구나. 오랜만이네."

그리고 우리는 한동안 말이 없었다. 물어보고 싶은 말이 너무 많았다. 하지만 무엇을 먼저 물어봐야 할지 결정할 수가 없었다. 어두운 공장 안으로 바람이 지나갔다. 무섭고 슬프고 황량한 소리만이 제니와 내 주위를 감싸고 있었다.

"나, 예전처럼 너와 함께 지내고 싶어."

계속 그렇게 생각해왔다. 더 열심히 일하겠다고, 시키는 일은 뭐든지 하겠다고 다짐도 했다. 하지만 제니의 목소리는 차가웠다.

"그럴 수 없다는 걸 알잖니, 네드."

"새로 온 아이가 나보다 일을 더 잘해?"

"그거 하고는 상관없는 문제야."

나는 제니를 이해할 수 없었다. 왜냐고 묻는 내 목소리가 공장 벽에 부딪쳐 메아리를 만들었다.

"모르겠니, 네드? 이제 넌 필요 없어."

아무 말도 할 수 없었다. 제니가 무슨 말을 하는지도 알아들을 수 없었다.

"고장 난 부품은 필요 없어. 넌 고장 났고, 그러니까 넌 필요가 없는 거야."

천장 높이 쌓인 어둠의 무게가 내 어깨를 찍어 누르는 것 같았다. 공장 안에는 아무도 없었지만, 유령처럼 지나가는 바람소리뿐이었지만 내 머릿속에는 계속 제니의 말이 맴돌았다.

"이제 넌 필요 없어."

그렇게 네드 러드는 산업혁명이 탄생시킨 괴물, 제니에게

서 버림을 받았다. 일기의 마지막 줄을 읽고 난 토마스 하버 박사는 노트를 덮으며 가만히 눈을 감았다.

나는 제니를 증오한다.

한 문장으로 이루어진 짧은 내용이지만 네드 러드의 감정이 그대로 느껴졌다. 토마스 하버 박사는 홍차 한 모금으로 목을 축인 뒤, 일기에 기록되어 있지 않은 이후의 일들을 재구성해보았다. 제니를 증오하는 네드 러드의 모습이 떠올랐다. 핏발이 선 눈, 빨갛게 달아오른 얼굴. 그것은 단순히 네드 러드 개인이 느끼는 분노가 아니었다. 괴물에게 잡아먹힌 사람들, 지옥으로 변한 세상에서 아우성치는 사람들의 분노였다.

어느새 토마스 하버 박사는 손에 망치를 들고 기계 앞에 선 네드 러드의 모습을 떠올리고 있었다. 네드 러드는 망설이고 있었다. 하지만 잠깐의 망설임이 지나간 뒤, 네드 러드는 들고 있던 망치를 머리 위로 치켜들었다. 지난 반년 동안 하루도 빠짐없이 함께했던 기계였다. 어디를 내리치면 부서지는지 누구보다 잘 알고 있었다. 어깨를 크게 휘둘렀다. 손에 든 망치가 무서운 속도로 기계를 향해 곤두박질쳤다. 쾅! 최초의 한 방은 어디에 들어갔을까? 기계를 제어하는 조종

간? 아니면 날카로운 이빨을 맞문 채 소름 끼치는 소리로 으르렁거리던 톱니바퀴? 어디가 더 치명적인 곳인지 토마스 하버 박사는 알지 못했다. 하지만 그런 건 중요하지 않았다. 네드 러드의 손에는 망치가 들려 있고, 그 망치로 내리칠 때마다 기계는 조금씩 부서졌다. 쾅! 쾅! 쾅! 미친 듯이 기계를 내리치는 네드 러드의 모습을 떠올리며 토마스 하버 박사는 생각했다. 과연 네드 러드는 알고 있었을까, 자신의 행동이 어떤 의미였는지? 토마스 하버 박사는 다시 한번 다니엘 한슨 박사의 말을 떠올렸다.

"빌어먹을! 체스 실력이 많이 늘었군. 하지만 발전이 꼭 좋은 것만은 아니야."

1811년에서 1817년 사이, 산업화가 진행 중이던 영국에서는 네드 러드의 이름을 딴 러다이트 운동이 일어났다. 일자리를 잃고 분노한 노동자들이 망치를 들고 공장을 습격한 것이다. 복면을 쓴 이들은 자신을 소외시킨 기계를 닥치는 대로 파괴했다. 공장에 막대한 피해를 입히고 공장주를 살해하는 사건까지 발생했다. 비록 정부에서 투입한 수만 명의 병력에 의해 스물세 명이 교수형을 당하고 많은 노동자들이 투옥되면서 막을 내렸지만, 역사학자인 토마스 하버 박사에게 러다이트 운동은 강자의 발전에 저항하는 약자들의 몸부림이었다. 어쩌면 기계의 부품으로 전락할 수밖에 없는 운명을 과감하게 거부한 인간의 마지막 용기였는지도 모른다. 네드 러드는 자신의 행위 속에 담긴 그런 의미를 알고 있었을까?

토마스 하버 박사가 차갑게 식은 마지막 홍차 한 모금으로 마른 목을 축일 때쯤, 파란 새벽빛이 밀려와 연구실 안을 가득 채웠다. 토마스 하버 박사는 네드 러드의 일기를 다시 책상 서랍 속에 넣고 창문 밖을 바라보았다. 낮게 깔린 구름을 배경으로 우유처럼 뿌연 안개가 런던이라는 도시를 우울하게 뒤덮고 있었다.

"찰스 군, 커피 한잔 부탁하네."

그날 아침 토마스 하버 박사는 찰스 군이 타 준 커피를 마시며 에드먼드 크럼프턴이 재직하고 있는 학교로 전화를 걸었다. 곧 강의가 있기 때문에 통화를 길게 할 수 없다며 에드먼드는 죄송하다는 말을 덧붙였다. 토마스 하버 박사는 우선 네드 러드의 일기라는 흥미로운 자료를 열람하게 해준 것에 대해 감사를 표했다.

"자네 때문에 어제 한잠도 못 잤다네."

"아직 그만한 열정이 있다는 건 몸이 그만큼 건강하시다는 증거겠죠. 안심입니다."

간단한 안부조차 생략한 채 토마스 하버 박사는 바로 질

문을 던졌다. 밤새도록 토마스 하버 박사의 머릿속에 맴돌던 질문이었다.

"자네가 보내준 네드 러드의 일기 말인데……. 진짜 네드 러드의 일기가 맞나?"

하지만 에드먼드 크럼프턴 교수가 들려준 대답은 토마스 하버 박사에게 실망만 안겨주었다.

"저도 우연찮게 손에 넣은 거라 아직은 모릅니다."

자료의 진위에 대한 토마스 하버 박사의 생각은 회의적이었다. 그것은 역사에 대한 회의이기도 했다. 토마스 하버 박사는 네드 러드의 일기를 입수하게 된 에드먼드 교수의 설명을 들으면서 자신의 강의를 떠올렸다.

"제군들, 역사란 누군가에 의해 기록된 문자의 총체입니다. 즉 역사란 문자요, 그 문자가 이루고 있는 사건인 것입니다. 누군가 허위의 사건을 문자로 기록했다고 칩시다. 그럼 우리는 그것을 역사라고 받아들이게 됩니다. 역사에 있어서 가장 커다란 화두는 문자를 믿느냐, 믿지 않느냐에 달려 있다고 해도 과언이 아닙니다. 그럼 제군들, 이제 수업을 시작하겠습니다. 책을 펴십시오. 수업이 끝난 후에는 어떻게 생각해도 상관없습니다. 하지만 수업 중에는 책에 적혀 있는 문자를 믿으십시오. 그래야 진도를 나갈 수 있을 테니까요."

생각에 잠겨 있던 토마스 하버 박사는 자신을 부르는 에드먼드 교수의 목소리에 정신을 차렸다.

"토마스 박사님, 듣고 계세요?"

"미안하네. 잠시 딴생각을 하고 있었어."

"여전하시네요."

에드먼드 교수와는 체스 약속을 하고 통화를 마쳤다. 원본은 그때 만나서 확인하기로 했다. 하지만 토마스 하버 박사에게 원본은 중요하지 않았다. 원본의 진위에도 관심이 없었다. 토마스 하버 박사는 다시 한번 자신의 강의 내용을 떠올렸다. 역사는 믿는 자의 것이었다.

"수업 시간 5분 전입니다, 교수님."

토마스 하버 박사는 교재를 들고 연구실을 나섰다. 교정은 여전히 짙은 안개에 뒤덮여 있었다. 그 안개 속으로 200년 전 런던의 공장 노동자 네드 러드라는 소년이 쓸쓸한 뒷모습을 남기며 걸어가고 있었다. 산업혁명이라는 역사의 반대 방향으로.

하루의

처음

가전제품은 단순한 것 같지만 복잡한 물건이다. 플러그를 꽂고, 전원을 켜고, 버튼만 누르면 작동한다고 생각하겠지만 그건 가전제품 외부의 일일 뿐이다. 본질은 언제나 내부에 있고, 그래서 숨어 있다. 사람들은 수많은 전선과 복잡한 회로를 보지 못한다. 그런 것들은 단순하고 세련된 케이스 안에 감춰져 있다. 그 속에 얼마나 많은 전선이 들어 있고 복잡한 회로가 사용되고 있는지는 중요한 문제가 아니다. 그게 중요해지는 건 가전제품이 고장 났을 때뿐이다.

　병두는 왼쪽 가슴에 회사 로고가 박힌 작업복을 입고 A/S 센터 2층에 개설된 열두 군데의 창구 중 한 곳에 앉아 있다.

─안녕하십니까.

공고에 다닐 때부터 가방에 넣고 다닌 전기인두를 만지작거리는 것과 고객을 상대하는 건 전혀 다른 종류의 일이다.

─무엇을 도와드릴까요?

193번 고객은 월차를 낸 회사원처럼 보인다. 모양이 잘 잡힌 머리와 턱을 살짝 덮은 수염과 한 번도 꺾어 신은 적 없는 것 같은 운동화 차림에서 적절한 균형감이 느껴진다.

─한 달 전에 구입했는데 문제가 생겨서요.

193번 고객이 접수한 제품은 가정에서 사용하는 전기 압력 밥솥이다. 병두는 우선 밥솥을 열고 내솥을 분리한다. 눈으로 봐서는 특별한 이상이 없다. 콘센트에 플러그를 꽂고 전원을 켠다. 계기판에 빨간불이 들어온다. 전원 장치에도 이상이 없는 것 같다. 메뉴 버튼을 눌러 기능을 점검해본다. 취사 기능도 보온 기능도 정상이다.

─밥이 되긴 되는데요.

193번 고객의 압력 밥솥은 미묘한 고장을 일으켰고 고장이 미묘할수록 문제는 복잡해진다. 가장 먼저 떠오르는 건 열선 불량이다. 드라이버로 나사를 풀어 밥솥의 본체를 분리한다. 밥솥 한쪽에 작은 회로 기판이 붙어 있다. 실타래처럼 엉켜 있는 전선들도 보인다. 열선은 바닥에 깔려 있다. 녹아내리거나 끊어진 부분은 보이지 않는다. 어쩌면 열선의 문제가 아닐지도 모른다. 병두는 밥솥의 본체를 다시 조립한다. 부품을 맞추고 나사를 조인다. 보이지 않는 고장이 가장 큰 고장이다. 수리 기사는 그걸 찾아내는 사람이다. 전선이나 부품을 갈아 끼우는 일은 누구나 할 수 있다.

—며칠 걸리겠는데요. 수리가 끝나는 대로 연락드리겠습니다.

193번 고객은 무슨 말을 하려다 갑자기 생각을 바꾼 사람처럼 몇 번 입맛을 다시고는 주춤거리며 자리에서 일어난다. 자기가 쓰던 가전제품이 고장 났을 때 사람들은 대체로 그런 표정을 짓는다. 자기에게 일어난 일이 공평하지 않으며 누구에게든 그 불편에 관해 이야기해야 조금은 공평해진다고 철석같이 믿는 표정이다.

병두는 193번 고객에게 살짝 고개를 숙이고 대기자 호출기를 누른다. 단말기의 숫자가 193번에서 205번으로 바뀐다.

손에 쥐고 있던 드라이버가 탁, 소리를 내며 바닥에 떨어진다. 병두는 작업대에 앉아 저만치 굴러가는 드라이버를 멍하니 바라본다. 단순한 실수다. 나사를 풀다가 드라이버를 놓친 것뿐이다. 처음 있는 일도 아니다. 작업 장갑을 벗고 손가락을 주무른다. 평소와 다른 느낌은 없다. 하지만 병두는 평소에 어떤 느낌이었는지 기억나지 않는다.

병두는 드라이버를 주우려 허리를 굽히고 오른손을 뻗는다. 드라이버는 선반 다리 밑에 놓여 있다. 손가락 끝이 드라이버 손잡이에 닿는다. 갑자기 병두는 전기가 오른 사람처럼 깜짝 놀라 손을 뒤로 뺀다. 좀 전까지만 해도 손에 쥐고 있던 드라이버가 생전 처음 보는 물건처럼 낯설게 느껴진다. 병두는 드라이버를 보고 자신의 손가락을 보고 다시 드라이버를 본다. 견고하고 차가운 느낌이 인주처럼 오른손 손가락에 묻어 있다. 지문의 골 사이에 깊게 박혀서 아무리 휴지로 닦아내도 지워지지 않을 것처럼.

　―병두 씨, 작업대 밑에서 뭐 해?

　옆자리의 김 주임이 묻는다. 언제나처럼 낡은 토시에 두꺼운 안경을 쓰고 있다. 때 탄 지압 슬리퍼가 형광등 불빛에 번들거린다.

　―뭘 떨어트렸어?

　병두는 오른손을 내려다본다. 손가락이 말을 듣지 않는다. 오른손 손가락이 마음대로 움직이지 않는다. 몇 번 더 주물러보지만 소용없다. 손을 한 번 쥐었다 펴는 게 냉동고에서 꽁꽁 언 고깃덩어리를 떼어내는 것만큼 힘들다. 잔뜩 녹이 슨 문을 억지로 여는 느낌이다.

　병두는 바닥에 떨어져 있는 물건에서 눈을 뗄 수 없다. 저건 더 이상 드라이버가 아닌 것 같다. 이제는 그렇게 보이지도 않는다. 다른 무엇이다. 하지만 병두는 거기에 이름을 붙일 수 없다.

　―아무것도 아닙니다.

　이름을 붙일 수 없으니 그게 뭐든 아무것도 아니다.

　―못 찾으면 내 걸 써.

　보통명사는 호환이 가능하다. 하지만 보통명사로는 어떤 것도 붙잡아둘 수 없다.

　―그러지 말고 내 걸 쓰래도.

　병두는 드라이버를 두고 화장실로 간다. 깨끗한 타일이 깔려 있고 타이머로 작동되는 초콜릿향 방향제 냄새가 난다. 병두는 세면대 앞에 서서 왼손으로 찬물을 끝까지 튼다. 푸하푸하 요란하게 세수를 한 뒤 고개를 들고 한동안 물끄러미 거울을 들여다본다. 고장이나 이상은 보편적인 것이 없다. 질병도 마찬가지다. 거울 표면에 누군가 찍어놓은 손바닥 자국이 희미하게 남아 있고 병두는 가만히 자신의 오른손을 내려다본다. 오른손이 병두의 외부에 놓여 있는 완전히 독립적인 물건 같다. 병두의 몸에 연결되어 있지만 병두의 의지가 닿지 않는 구역이다. 병두는 거기에 개입할 수 없다.

　물리적인 손상이나 외형상의 이상은 없어 보인다. 손톱은 보기 좋게 잘 다듬어져 있고 태어날 때부터 길고 섬세한 손가락의 모양도 그대로다. 골절이나 탈골은 아닌 것 같다. 어쩌면 인대가 끊어졌거나 늘어난 것일 수도 있다. 겉으로 봐서는 알 수 없다. 몸도 가전제품과 마찬가지다. 외형이 파손되거나 고장 난 부분이 분명한 제품은 수리가 쉽다. 하지만 그렇지 않은 경우에는 손대기가 까다로워진다. 수리를 못 할 수도 있다. 어디가 고장 났는지 알 수 없는 제품이 가장 심각하게 고장 난 제품이다.

병두는 거울 속에서 자기를 응시하는 눈을 응시하며 10분 전의 일을 떠올린다. 드라이버를 떨어뜨리기 전, 아무것도 의심할 필요가 없었던 때. 병두는 불과 10분 전에 견고한 일상이 자신의 곁을 스쳐 지나갔다는 것이 믿어지지 않는다.

10분 전 병두는 193번 고객이 맡기고 간 전기 압력 밥솥을 수리 중이었다. 전선에도 회로 기판에도 이상이 없었다. 계기를 이용해서 열선의 저항을 측정했다. 정상이었다. 어쩌면 다른 제품으로 교환해주어야 할지도 모른다. 병두는 작업대 위에 놓여 있는 타이머로 시간을 체크했다. 접수된 물건을 올려놓을 때 타이머도 같이 누르곤 했다. 회사 규칙은 아니다. 그냥 그러는 수리 기사가 몇 명 있고 병두도 그중 한 명일 뿐이었다. 30분째였다. 193번 고객의 전기 압력 밥솥은 작업대 위에서 원래 그게 뭐였는지 짐작도 할 수 없을 만큼 분해되어 있었다.

전기 압력 밥솥의 구조는 생각보다 복잡했다. 병두는 매번 그런 생각을 했지만 10분 전에도 같은 생각을 했고 다른 제품을 분해한 뒤에도 똑같은 생각을 하면서 놀랐다. 전기 압력 밥솥에는 수많은 부품이 내장되어 있었다. 곤충이나 물고기 알처럼 여기저기에 다닥다닥 달라붙어 있었다. 어쩌면 세상 어딘가에는 전기 압력 밥솥에 들어가는 부품이 모두 몇 개인지 정확하게 아는 사람이 있을지도 모른다. 하지만 그 사람이 병두가 아닌 것만은 확실했다. 그 많은 부품 중 하나만 잘못되어도 고장이 발생한다. 밥을 짓는 일은 단순해 보이지만 전기 압력 밥솥은 단순한 물건이 아니다. 병두는 부품을 떼어내어 만지작거릴 때마다 그 부품의 기능을 떠올렸다. 연결하고 차단하고 변환하고 지연시키고……. 어느새 전기 압력 밥솥은 너무 많은 기능과 너무 많은 부품으로 분절되었고 그건 더 이상 전기 압력 밥솥이 아닌 다른 무언가였다. 전기 압력 밥솥에 대해 많은 생각을 해본 적은 없지만 병두가 생각해온 전기 압력 밥솥이 아닌 건 확실했다.

그때 나사를 조이고 있었는지 풀고 있었는지는 기억나지 않는다. 병두는 오른손잡이고, 드라이버를 돌리기 위해 엄지와 검지를 움직이고 있었다. 관절과 힘줄과 신경과 혈관과…… 병두의 일부이지만 병두가 이름조차 모르는 많은 것들이 피부로 덮여 있었고 병두는 자기가 그런 것들을 굽혔다 폈다 벌렸다 모았다 하는 모습을 바라보고 있었다. 놀라울 정도로 정교한 동작이었고 병두는 불꽃놀이를 구경하는 아이처럼 자기 오른손에서 한순간도 눈을 뗄 수 없었다. 아마 나사를 조이고 있었던 것 같다. 엄지와 검지가 드라이버를 오른쪽으로 돌리고 있었다. 그러다가 갑자기 그 모든 것이 한 번도 본 적 없는 물체처럼 낯설게 변했다.

병두는 화장실 거울 앞에 서서 오른손을 아주 오래, 천천히 주물렀다. 그러는 동안 몇 명의 남자가 화장실로 들어와 잠깐 소변기 앞에 서 있다가 나갔다. 아무도 병두를 주의 깊게 바라보지 않았다. 어쩌면 주의 깊게 바라보지 않으려고 노력한 것인지도 모른다. 병두는 다른 사람들도 인생의 어느 순간에 자기 오른손을 바라보며 시간을 보내게 되는지 궁금해졌다. 얼마나 자주 그러는지 한번 그러면 얼마나 오래 그러는지도. 몇 명쯤 그런 사람이 있을지도 모른다. 하지만 많지는 않을 테고 몇 명 있다 해도 그들이 10분 전에 자기가 겪은 일과 완전히 똑같은 일을 겪지는 않았을 거라고 병두는 생각한다. 오른손이 낯설어지고, 엄지와 검지의 움직임이 하나하나 분절되고, 드라이버 하나를 돌리는 데 정말 말도 못 하게 많은 기관과 조직이 사용된다는 것을 깨닫게 되고, 그렇다는 것을 한 순간도 무시할 수 없게 되고, 자기가 그 많은 것들을 정확하게 통제한다는 것이 의심스럽고, 그럴 능력이 자신에게 없다는 생각이 들자 외줄을 타다가 발밑을 본 사람처럼 두렵고, 더 이상 드라이버를 돌릴 수 없고, 손이 움직이지 않게 되고······.

놓친 드라이버가 바닥에 떨어지면서 탁, 소리를 냈다. 손가락은 기능을 잃은 채 부피만 차지하게 되었다. 병두의 것이지만 더 이상 병두의 것이 아니었다.

가전제품을 사용하기 전에 케이스를 뜯어 안을 들여다봐서는 안 된다. 수많은 전선과 복잡한 회로 기판를 보고 나면 모든 것이 예전 같지 않게 된다. 별 차이가 없다 해도 예전 같지 않아지는 것은 사실이다. 화장실 거울 앞에 서 있는 병두도 자기가 예전 같지 않다는 것을 깨닫는다.

모든 장소에는 저마다의 냄새가 있다. 그곳에서만 맡을 수 있는 배타적이고 독점적인 냄새. 병두에게 대학 병원은 소독약 냄새와 여러 약품이 모여서 나는 냄새, 환자의 몸에서 나는 냄새와 그들이 먹는 음식이 풍기는 냄새, 그런 냄새들이 벽돌처럼 단단하게 뭉쳐 있는 곳이다. 그런 냄새들이 실내에 쌓여서 불안을 만들어낸다. 대기표를 뽑은 병두는 병원 접수처 앞의 의자에 앉아 아주 오랫동안 그 냄새를 맡는다. 일상이 점점 멀어지는 것 같고 그러다 완전히 사라질 것 같다. 사람들은 그 사람이 원래 어땠는지 모를 만큼 극단

적으로 과묵해지거나 극단적으로 수다스러워진다. 진료실
에서도 병원 냄새가 난다.

　―쥐었다 폈다 해보세요.

　마른 몸에 흰머리가 괴팍하게 난 의사는 신경질적인 인상
을 풍긴다. 세탁을 많이 해서 나달거리는 가운의 오른쪽 가
슴에 갈색 얼룩이 말라붙어 있고 검게 변색된 입술은 노인
의 발뒤꿈치처럼 갈라져 있다.

　―힘을 줄 테니까 많이 불편하시면 말씀하세요.

　엑스레이도 찍고 몇 가지 검사를 더 한다. 오른손을 틀거
나 세우거나 반듯이 놓거나 해서 찍은 필름 다섯 장이 라이
트 박스에 끼워져 있다. 의사의 설명이 이어지는 동안 병두
는 필름에 찍힌 자신의 오른손 뼈를 바라본다. 가늘고 길고
하얀 손가락 뼈마디가 보이고 필름의 나머지 부분은 불에
그슬린 것처럼 새까맣다.

　―일시적으로 이러는 걸 수도 있어요.

　의사의 목소리는 건조하고 사무적이다. 소독약 냄새가 날
것 같다. 의사는 약을 먹으며 경과를 지켜보자고 말하고 병
두는 의사에게서 약을 먹으며 경과를 지켜보자는 말을 들은
사람이 할 법한 질문을 한다.

　―심각한 건 아니겠죠?

　원무과에서 정산을 마친 뒤 밖으로 나온다. 대학 병원은

아파트 단지만큼 규모가 크다. 여러 채의 병동이 길 양옆에 늘어서 있고 환자복을 입은 사람들이 잠깐 집 앞에 산책을 나온 것처럼 여기저기 흩어져 돌아다닌다. 목발을 짚거나 휠체어를 탄 환자도 보인다. 그들은 마치 이동식 침대나 수액 걸이처럼 병원의 일부 같다. 아주 오래전부터 이곳에 있어왔고 앞으로도 계속 그럴 것처럼. 병두는 연구동과 내과 건물을 차례로 지나친다.

산부인과 병동 앞을 지날 때 누군가 화재경보기를 잘못 누른 것처럼 아기 울음소리가 애앵 하고 들려온다. 그러나 곧 화재경보기를 잘못 누른 누군가가 자신의 잘못을 바로잡은 듯 아기 울음소리가 그친다. 잘못 들은 것일 수도 있고 아닐 수도 있지만 병두는 어느 쪽이 되었든 상관없다는 생각이 들 때까지 그곳에 서서 산부인과 병동을 바라본다. 그리고 아기들에 대해 생각한다.

태어난 지 얼마 안 된 아기들은 우는 것밖에 모른다. 몸을 뒤집거나 기어 다니려면 시간이 필요하고 첫걸음마를 떼는 데는 더 많은 시간이 필요하다. 발바닥의 표면적이 인간의 몸에 비해 너무 작기 때문이다. 그건 두 발바닥의 표면적을 합해도 마찬가지다. 사람이 두 발로 서 있는 건 일종의 기적이다. 보행은 그중 한 발이 땅에서 떨어지는 순간 시작된다. 몸을 지탱하는 표면적이 반으로 줄어든다. 다른 한 발이 땅

바닥에 닿을 때까지 두 배의 기적이 필요해진다. 무릎과 발
목 관절이 균형을 유지하면서 움직이고 수많은 기관과 수많
은 조직과 수많은 신경이 이 동작을 위해 동원된다. 걸을 때
마다 골반이 움직이고 팔이 앞뒤로 흔들리고 어깨와 상체가
좌우로 돌아가고…….

　산부인과 병동을 바라보는 잠깐 동안 병두는 자기에게 아
주 사소한 일이 벌어졌음을 느낀다. 자세히 들여다보지 않
으면 알아차릴 수 없을 만큼 작지만 그렇다고 무시할 수도
없는 어떤 일이 자기 몸을 관통해 지나간 것 같다. 아니면 몸
속 깊이 박혔거나. 차도에는 50미터 간격으로 과속방지턱이
설치되어 있고 속도를 줄인 차들이 쉴 새 없이 지나다닌다.
산부인과 병동 앞에서 비둘기 몇 마리가 땅바닥을 쪼아대고
있다. 병두는 두 발로 서거나 걷는 것에 대해 생각하지 않으
려고 노력하면서 계속 그 생각을 한다. 그럴수록 균형을 유
지하고 서 있는 것이 점점 힘들어지고 발을 헛디딘 사람처
럼 몸이 기울고, 병두는 가로수를 손으로 짚으며 간신히 중
심을 잡는다. 얼마 안 되는 거리에 병원 정문이 보인다. 손님
을 기다리는 빈 택시도 몇 대 정차해 있다. 병두는 한 발을
내디딘 다음 몸의 중심을 앞으로 옮기고 다른 한 발을 내디
딘 다음 다시 몸의 중심을 앞으로 옮긴다. 그때마다 병두는
자기가 아주 높은 곳에 매달린 줄 위를 걷고 있다는 착각에

빠진다. 병두도 그게 착각이라는 것을 알지만 어느 정도는 착각이 아닐지도 모른다는 생각을 지울 수 없다. 그러자 착각은 착각이 아닌 것이 된다.

병두는 열 평짜리 원룸에 누워 하루가 어떻게 시작되고 어떻게 끝나는지 지켜본다. 시간은 느리게 흐르고 어떨 때는 돌에 박힌 화석처럼 꼼짝도 하지 않고, 이제 병두의 몸은 거의 움직이지 않는다. 처음에는 오른손이 그랬고, 다리가 그렇게 된 것은 산부인과 병동 앞에서였다. 병두는 자기가 어디에서 무엇을 하다가 왼손마저 그렇게 되었는지 기억하지 못한다. 병두의 시간은 병두의 손이 닿지 않는 곳에서 흐른다. 그러는 동안 병두의 몸은 하나씩 둘씩 기능을 잃고 부피만 남았다. 목이 점점 뻣뻣하게 굳는다. 어깨의 움직임을 인식하는 순간 어깨가 움직이지 않는다. 허리로 상체를 지탱할 수 없게 되자 그때부터 병두는 하루 종일 누워서 지낸다. 그렇게 병두는 시간이 누구에게나 공평하게 흐른다는 것을 알게 된다.

방 안은 바닷속 깊이 가라앉은 배처럼 어둡다. 조용하고 빛과 소리는 밑바닥에 닿지 않고, 그곳에는 오래된 것들만 고여 유령처럼 돌아다닌다. 먼지 같은 것, 머리카락이나 살비듬 같은 것, 탁하게 변색된 발톱과 방바닥에 말라붙은 음식 찌꺼기 같은 것. 그리고 그런 것들이 내는 냄새 같은 것이 원래부터 그곳에 있었고 앞으로도 계속 그곳에 있을 것처럼 놓여 있다. 병두는 자기가 그런 것들 중 하나라는 것을 안다. 어떤 것도 기대하지 않거나 빨리 포기하는 것이 그러지 않는 것보다 훨씬 어렵다는 사실도.

바퀴벌레 몇 마리가 물건처럼 놓여 있는 병두의 몸 위를 돌아다닌다. 옷 어딘가에 달라붙어 있거나 옷 속으로 기어들어와 병두의 몸을 빨아대거나 한다. 다리와 더듬이가 쉴 새 없이 움직이고, 그중 한 마리가 병두의 목을 타고 얼굴로 올라온다. 턱을 지나 다문 입술 위를 기어간다. 다리에 난 가시 줄이 살갗을 찌를 때마다 병두는 머리털이 쭈뼛 서는 느낌을 받는다. 누군가 손톱으로 칠판을 긁어대는 것 같다. 어느새 바퀴벌레는 인중 위에 서서 더듬이를 다듬고 있다. 원래 벌레들은 틈이나 구멍을 좋아한다. 바퀴벌레가 다시 움직이기 시작한다. 왼쪽 콧구멍 속으로 들어가 더 이상 파고들 수 없을 때까지 계속 파고든다.

―저 왔습니다.

아줌마를 쓰기 시작한 지 2년 몇 개월이 지났다. 그날 병두는 대학 병원 앞에서 잡아탄 택시 뒷좌석에 앉으며 담배전 내가 나는 기사에게 행선지를 댔다. 집으로 가는 동안 계속 다리를 주물렀다. 가만히 앉아 있는 것보다 나은 것 같았지만 정말 그런지는 알 수 없었다.

어떻게 집에 왔는지는 기억나지 않는다. 오는 길에 무릎과 손바닥이 까졌고 신발 한 짝을 잃었다. 방에 들어온 병두는 인터넷 사이트에 등록된 인력 사무실로 전화를 걸었다. 저렴한 비용에 간병인을 알선한다는 문구가 사이트 하단에서 깜빡였다. 다섯 번쯤 신호가 가고 상담원인 듯한 여자가 전화를 받았다.

—믿음 가득 행복 가득. 해피라이프 용역입니다.

그렇게 병두는 40대 후반의 아줌마를 간병인으로 고용했다. 급료와 간병 비용은 매달 말일에 통장에서 빠져나가게 해두었다. 그 후로 아줌마는 일주일에 세 번씩 병두를 찾아왔다.

—그냥 누워 계세요.

아줌마는 연두색 바탕에 보라색 꽃무늬가 들어간 통치마를 입고 있고, 나달나달한 흰색 블라우스에도 꽃무늬가 수놓아져 있다. 거울 앞에 서서 직접 잘랐는지 건초처럼 푸석해 보이는 단발머리는 눈에 띄게 길이가 맞지 않는다. 아줌마가 방바닥을 기어 다니며 걸레질을 할 때마다 통치마와 블라우스와 단발머리가 앞뒤로 흔들린다. 아주 오랫동안 락스로 박박 문지른 것처럼 얼굴에는 표정이 없다. 못으로 박아놓은 듯 한쪽으로 고정된 눈동자는 무언가를 유심히 바라

보는 것 같지만 사실 아무것도 바라보지 않는 듯한 인상을
준다. 아줌마의 몸과 옷과 아줌마가 내뱉는 숨에서 어떤 냄
새가 난다. 병두는 아줌마가 움직일 때마다 시멘트 덩어리
처럼 단단하게 굳은 피로의 냄새를 맡는다.

　—입을 벌리고 있으면 먼지와 벌레가 들어갑니다.

　일하는 아줌마가 다녀간 뒤로 병두는 코로만 숨을 쉰다.
콧구멍 속에 박힌 바퀴벌레가 더 깊은 곳으로 들어가기 위
해 발버둥 친다. 바퀴벌레의 가시 줄이 계속 비강 내벽을 찔
러댄다. 왼쪽 콧구멍으로는 더 이상 숨을 쉴 수 없다. 완전
히 그런 것은 아니지만 거의 그랬고, 숨을 쉴 수 없다는 점
에서 둘은 큰 차이가 나지 않는다. 그렇게 또 몇 시간이 흐른
다. 죽은 바퀴벌레가 작고 차가운 돌멩이처럼 처음 그 자리
에 박혀서 꼼짝도 하지 않는다. 하지만 아까와 달라진 것은
없다. 누군가 손톱으로 계속 칠판을 긁어대는 것 같다는 점
에서는 완전히 똑같다.

　잠시 후 또 다른 바퀴벌레 한 마리가 병두의 목을 타고 얼
굴로 올라온다. 턱을 지나 입술 위를 기어간다. 인중에 머물
면서 한동안 더듬이를 다듬는다. 벌레들은 구멍을 좋아한
다. 깊고 좁고 어두운 곳이 보이면 들어가 몸을 숨긴다. 병두
는 바퀴벌레가 어느 쪽 콧구멍으로 들어갈지 알 수 없다. 더
듬이가 가끔씩 코끝을 건드리고 지나간다. 왼쪽으로 들어갈

수도 있다. 하지만 오른쪽으로 들어갈지도 모른다. 그것은 바퀴벌레의 취향 문제이고, 한순간 병두의 삶은 바퀴벌레의 취향만큼이나 사소하고 하찮은 것으로 변한다. 바퀴벌레가 오른쪽으로 들어가면 병두는 숨을 쉴 수 없게 된다. 호흡이 정지한 상태에서 사람이 버틸 수 있는 시간은 대략 4분에서 5분 사이다. 바퀴벌레가 왼쪽으로 들어가도 마찬가지다. 병두에게 남은 시간은 바퀴벌레에게 취향일 뿐이다.

바퀴벌레가 다시 움직인다. 이리저리 기웃대고 꼼지락댄다. 그러다가 길바닥에 떨어진 동전을 발견한 사람처럼 오른쪽 구멍으로 다가간다. 병두는 풀지 않은 이삿짐처럼 방 안에 놓여 있다. 입은 너무 세게 잠근 병뚜껑 같다. 꽉 닫혀서 아무리 힘을 주어도 열리지 않는다. 병두는 입을 벌리기 위해 어떤 근육을 어떻게 사용해야 하는지 모른다. 근육을 구성하는 혈관과 조직과 세포와 전달 물질을 생각하면 입을 벌리는 일은 불가능해 보인다.

탁!

형광등 스위치가 올라가고 불이 켜진다. 방 안이 갑자기 환해진다. 불빛에 놀란 바퀴벌레가 병두의 뺨을 타고 도망친다. 툭, 바퀴벌레의 몸이 장판 위에 떨어지는 소리가 들린다.

탁!

병두는 아줌마가 갑자기 걸레로 바닥을 내리치는 소리에

깜짝 놀란다. 아까 그 두 번째 바퀴벌레 같다. 아줌마는 터지고 납작해진 바퀴벌레를 걸레를 흔들어 털어낸 다음 아무 일도 없었던 것처럼 걸레질을 계속한다.

병두는 가끔씩 193번 고객이 접수한 전기 압력 밥솥에 대해 생각했다. 서비스 센터를 그만두기 전에 마지막으로 만지작거린 가전제품이었고, 병두는 전기 압력 밥솥의 나사 하나 전선 하나까지 모두 기억했다. 고치지 못한 제품은 늘 그랬다. 왜 고치지 못했는지 끊임없이 생각했고 짧게는 몇 주 길게는 몇 달 동안 병두의 머릿속에 깊이 박힌 채 빠질 줄 몰랐다. 193번 고객은 같은 모델명의 새 전기 압력 밥솥을 받아 갔을 것이다. 쌀을 씻고 밥을 안치고 취사 버튼을 누르고……. 193번 고객은 전기 압력 밥솥이 고장 나기 전까지 다신 전기 압력 밥솥에 대해 생각하지 않을 것이다.

아줌마가 병두의 몸을 옆으로 한 바퀴 굴린다. 아직 걸레질하지 못한 곳은 병두가 누워 있는 자리뿐이다. 하루 종일 병두의 몸에 눌려 있던 방바닥은 움푹 파인 구덩이처럼 보인다. 아줌마가 걸레로 그 자리에 고여 있는 악취와 흔적을 닦아낸다. 병두는 악취와 흔적으로 이루어져 있다. 걸레는 병두가 거기에 누워서 보낸 시간까지 지운다. 처음부터 그랬던 것처럼 병두가 누워 있던 자리에는 아무것도 남지 않는다.

병두는 경력이 많고 말수가 적은 아줌마를 원했고 그런 아줌마를 구하는 데 일주일이 걸렸다. 아줌마는 표정을 지어본 적이 한 번도 없는 사람 같았다. 처진 입꼬리와 늘어진 눈두덩과 빨갛게 튀어나온 광대뼈와 칼자국처럼 깊은 주름과……. 아줌마는 꼭 필요한 말만 했는데 꼭 필요하다고 생각하는 말이 거의 없는 것 같았고 병두에게는 그게 편했다. 몇 년 전에 중국에서 왔다고 했다. 몸을 움직이거나 물건을 만질 때만 소리를 냈다.

걸레질을 마친 아줌마가 수건을 들고 와 병두의 옆에 앉는다. 수건은 알코올에 젖어 있고 알코올은 얼음을 손에 쥔 것처럼 차갑고 무시할 수 없는 냄새를 낸다. 아줌마는 병두의 맨살을 만지기 전에 항상 고무장갑을 낀다. 목장갑을 낄 때도 있지만 맨손으로 만진 적은 없다. 먼저 병두의 상의를 벗긴다. 어깨는 앙상하고 잘못 만지면 부러질 것 같다. 아줌마는 뼈마디가 보이는 병두의 몸통을 말없이 닦는다. 팔을 들어 올리자 꼬불꼬불한 겨드랑이 털이 까맣게 뭉쳐 있다. 장판을 들친 것처럼 오래되고 쿰쿰한 냄새가 번진다. 아줌마가 콧등을 구기며 잠깐 병두의 얼굴을 쳐다본다. 아줌마도 자기가 공평하지 못하다는 것을 안다. 하지만 원래 세상일이 다 그렇고 그렇다는 것도 알고 있다. 아줌마는 다시 병두의 몸을 닦기 시작한다.

아줌마에게 주는 돈은 몇 푼 안 되었고 매달 말일에 통장에서 꼬박꼬박 빠져나갔는데 그게 병두의 가장 큰 지출이었다. 나가는 돈은 일정하고 정확했다. 아무것도 안 하고 누워 지냈지만 아무것도 안 하고 누워 지내는 데도 돈이 들었다. 통장 잔고는 빠르고 가차 없이 줄었고 병두에게 남은 시간도 그랬다. 손에 쥔 모래처럼 손가락 사이로 빠져나갔다. 그렇게 2년 몇 개월이 흘렀다. 통장의 잔고는 바닥난 지 오래였다. 급료도 줄 수 없었고 간병에 드는 비용도 댈 수 없었다. 하지만 그렇게 된 뒤에도 아줌마는 일주일에 세 번씩 계속 병두를 찾아왔다.

─금을 팔았습니다.

그달 말일에 가위로 병두의 머리카락을 뭉텅뭉텅 자르던 아줌마가 안 해도 될 말을 그냥 한번 해보는 사람처럼 말했다. 얼마에 팔았다는 말은 없었다. 목소리는 작고 거칠고 흐렸다. 다시 한 달이 흘렀다.

─TV와 컴퓨터를 팔았습니다.

아줌마는 늘 정직했다. 한 번도 병두를 속인 적이 없었다. 어쩌면 그러는 게 가장 이득이라고 생각하는지도 몰랐다. 아줌마는 물방울무늬가 들어간 합성섬유 소재의 낡은 가방을 들고 다녔고 매달 말일이 되면 그 가방을 열어 계산서를 꺼냈다. 대변과 차변의 숫자는 정확했다. 그렇게 옷과 장롱이 빠지고 냉장고와 전자레인지가 사라졌다.

아줌마가 고무장갑을 낀 손으로 병두의 바지를 벗긴다. 바지는 몇 치수 큰 다른 사람의 바지 같다. 너무 헐겁고 너무 쉽게 벗겨진다. 팬티도 마찬가지다. 아줌마는 가끔 이런 옷을 입었던 사람에 대해 생각한다. 생각해봤자 좋을 게 없다는 걸 알지만 옷을 빨거나 개거나 벗기기 위해 만지작거릴 때면 비 오는 날 새벽 끈질기게 문을 두드리는 불청객처럼 그런 생각이 불쑥 찾아온다. 아줌마는 한때 이런 옷을 입고, 먹고 마시고 웃고 떠들던 남자는 어디 갔을까 생각한다.

팬티를 내리자 기저귀만 남는다. 안감의 앞면은 노랗게 물들어 있고 뒷면에는 돌멩이처럼 탁탁하게 굳은 배설물 덩어리 몇 개가 돌아다닌다. 양은 많지 않다. 아줌마는 배설물을 치우고 성기와 항문과 엉덩이와 사타구니를 닦은 다음 기저귀를 간다.

물건이 있던 곳에는 물건 모양의 자국이 남았는데 장판이 눌려 있거나 벽지 색이 다르거나 했다. 그렇게 병두의 원룸은 점점 넓어졌고, 더 이상 넓어질 수 없을 만큼 넓어졌고, 결국 벽과 바닥과 그 위에 누워 있는 병두만 남았다. 생활은 물건과 함께 깨끗이 치워졌다. 그러는 데 반년이 걸렸다. 병두는 하루에도 몇 번씩 예전에 원룸이 어땠는지 생각하면서 시간을 보냈다. 처음에는 모든 것이 아직 그 자리에 놓여 있는 것처럼 선명했고 어떤 것들은 예전보다 더 그 자리에 놓여 있는 것 같았다. 하지만 기억은 호기심 많은 아이 같아서 가만히 잡아두려 할수록 더 멀리 달아났다. 이제 병두는 눌린 장판 위에 무엇이 놓여 있었는지, 벽지 색깔이 변할 만큼 오랫동안 한자리를 차지했던 물건이 무엇이었는지 기억하지 못했다. 처음부터 아무것도 없었고 원래 그랬던 것 같았다.

지난 석 달간 아줌마는 물건을 내다 팔지 못했다. 돈이 될 만한 것이 남아 있지 않았다. 남은 물건이 있긴 했다. 뚜껑이 없는 플라스틱 쓰레기통과 자꾸 벌레가 알을 까놓는 나무 선반과 이가 빠지고 크기도 다 다른 그릇 몇 개와 흠집이 많은 식탁 같은 것들……. 그런 것들은 너무 낡고 오래되어서 고물상에 가져가도 받아주지 않았다. 벌어오는 돈이 줄자 한쪽 팔이 잘린 남편은 남은 한쪽 팔을 그런 용도로도 사용할 수 있다는 듯 주먹질을 해댔다. 남편은 술 때문에 얼굴이 까맣게 탄 노인이었고 한번 주먹을 휘두르기 시작하면 옷에 불이 붙은 사람처럼 미친 듯이 날뛰었는데 그때마다 아줌마는 눈에 멍이 들거나 귀가 찢어지거나 입술이 터지거나 코뼈가 부러지거나 했다. 아줌마는 남에게 자기 이야기를 하는 사람이 아니었다. 병두도 아줌마에 대해서 꼭 알아야 할 것들만 알았다. 하지만 가끔은 알기 싫어도 알게 되는 것들이 있었다. 지난 석 달이 그랬다. 병두는 아줌마에 대해 몰라도 되는 것들을 알게 되었고 아줌마도 병두가 알게 되었다는 것을 알았다.

바지와 상의를 입힌 다음, 아줌마는 미뤄두었던 숙제처럼 맨 나중에 병두의 얼굴을 닦는다. 아줌마도 병두도 서로의 눈을 피한다. 둘은 낯선 곳에 혼자 온 사람처럼 서로가 바라봐야 할 곳을 가만히 바라본다.

일을 마친 아줌마가 아까부터 할 말이 있는 사람처럼 병두의 머리맡에 앉아 있다. 두껍고 단단한 침묵이 두 사람 사이에 벽처럼 서 있고, 두 사람을 제외한 그곳에 있는 모든 것이 소리를 내는 것 같다. 어쩌면 두 사람의 침묵이 다른 모든 것의 침묵을 합한 것보다 더 무거워서 그런 것인지도 모른다. 둘은 침묵 속에서 많은 이야기를 나눈다. 말은 풍선처럼 부풀지만 침묵은 연못에 던진 동전처럼 깊이 가라앉는다. 둘의 침묵도 동전처럼 이리저리 흔들리며 가라앉고 있다. 그러다 병두 내부의 가장 깊은 바닥에 내려앉고 누가 치우기 전에는 그곳에 놓여서 꼼짝도 하지 않는다.

잠시 후 지퍼 여는 소리가 들린다. 맞물려 있던 지퍼의 이가 하나씩 풀리고 그때마다 뾰족한 쇠꼬챙이로 고막을 두드릴 때처럼 크고 끔찍한 소리가 난다. 아줌마가 물방울무늬 가방을 열고 있다. 가방 속에서 A4용지를 반으로 접은 뒤 대충 손으로 찢은 듯한 이면지가 나온다. 지출 내역이 있고 그

옆에 금액이 적혀 있는 것을 보니 지난 석 달치 계산서 같다.

　─안구와 장기를 팔았습니다.

　돈은 원래 그게 뭐였는지 모를 만큼 모든 것을 완전히 녹여서 숫자로 만들고 그건 안구와 장기도 예외가 아니다. 아줌마의 목소리는 오디오나 가스레인지를 팔았다고 말할 때와 전혀 다르지 않다. 어떤 장기를 얼마에 팔았다는 말도 없다. 하지만 병두는 안다. 아줌마는 절대 손해를 보면서 장사할 사람이 아니다. 자기 몫을 빼앗길 만큼 허술하지도 않지만 남의 것을 가로챌 만큼 탐욕스럽지도 않다. 안구와 장기는 제값에 팔렸을 테고 아줌마는 받아야 할 돈을 받은 것뿐이다. 그렇게 계산은 끝난다.

　잠시 병두의 얼굴을 들여다보던 아줌마가 병두와 눈이 마주치자 남의 집에 잘못 들어왔다는 걸 방금 깨달은 사람처럼 자리에서 일어난다. 형광등을 끄고 옷과 가방을 챙기면서 탈칵거리고 부스럭거린다. 곧 문이 열리고 문이 닫힌다. 그리고 아무 소리도 들리지 않는다. 이제 병두의 원룸은 한 번도 사람이 산 적이 없는 곳처럼 완전히 텅 빈다. 침묵과 먼지와 냄새와⋯⋯. 아줌마가 가고 5분쯤 지나자 그런 것들이 갈라진 바닥에서 흘러들어와 물처럼 천천히 차오르기 시작한다.

강한 향신료 냄새와 땀 냄새가 병두의 잠을 깨운다. 마치 냄새에 형태와 질량이 있어서 병두의 몸을 흔들어 깨운 것 같다. 병두는 여전히 원룸에 혼자 누워 있고 자기가 며칠이나 그렇게 잠들어 있었는지는 모르지만 며칠이나 그렇게 잠들어 있었다는 것은 알 것 같다.

흙발로 들어온 두 남자가 병두를 사이에 두고 앉아 언제부터 그랬는지 모르지만 병두의 얼굴을 들여다보고 있다. 한 명은 민머리에 얼굴이 심하게 얽었고 한 명은 얼굴에 깊은 칼자국이 그어져 있다. 갑자기 한 남자가 다른 한 남자에게 소리를 지른다. 이유는 알 수 없다. 억양이 세고 음폭이 큰 중국말이다. 병두도 그게 중국말이라는 것은 알지만 무슨 뜻인지는 모른다. 다른 한 남자도 목에 핏대를 세우며 맞받아친다. 두 남자는 한동안 그렇게 말싸움을 계속한다. 삿대질이 오가고 목소리가 점점 높아진다. 서로의 가슴팍을 밀치거나 머리를 때리기도 한다. 그러다가 말싸움은 갑자기 시작한 것처럼 갑자기 끝난다. 둘은 그러기로 약속한 사람들처럼 서로의 얼굴을 바라보며 웃는다. 흐트러진 옷을 만져주거나 어깨를 두드려주거나 한다. 어쩌면 둘은 말싸움을 한 것이 아닐지도 모른다. 항상 일을 시작하기 전에 그냥 한 번 그래 보는 것일 수도 있다.

지퍼 열리는 소리가 들리고 한 남자가 배낭에서 주사기와 수술칼 같은 것들을 꺼낸다. 다른 한 남자가 바닥에 김장용 비닐을 깔 때도 소리가 난다. 둘은 병두를 들어 비닐 위에 눕힌다. 일을 하는 동안 둘은 한 마디도 하지 않는다. 정확하고 조용히 움직이면서 자기 일만 한다. 수술 장갑을 낀 남자가 병두의 배를 가르고 장기를 꺼내는 동안 다른 남자는 집게나 가위 같은 것들을 집어 주면서 콧노래를 흥얼거린다. 안구를 수술할 때도 남자의 콧노래는 그치지 않는다. 어떤 부분은 둘이 함께 흥얼거리기도 한다. 멀리서 보면 둘은 정원 손질이나 요리처럼 전혀 다른 일을 하는 사람들 같다.

얼마 후 일을 마친 한 남자가 수술용 바늘로 병두의 배를 꿰맨다. 양쪽 눈을 꿰맬 때쯤 다른 남자가 사용한 물건을 정리한다. 둘은 배낭을 메고 자리에서 일어난다. 갑자기 말싸움이 벌어진다. 목소리가 점점 높아지면서 삿대질이 오가고 서로의 가슴팍을 밀치거나 머리를 때리거나 하다가 둘은 미리 약속이라도 한 사람들처럼 서로의 얼굴을 바라보며 웃는다. 물론 진짜 말싸움을 한 걸지도 모르지만 그냥 한번 그래 보는 것일 수도 있다.

—미안합니다. 우리도 살아야 합니다.

문 앞에 선 한 남자가 깜빡한 물건이 막 생각난 사람처럼 뒤를 돌아보며 말한다. 다른 한 남자도 비슷한 말을 하려다가 기회를 놓친 것처럼 몇 번 입맛을 다신다. 물론 정말 미안

한 것일 수도 있지만 그냥 한번 그래 보는 것일지도 모른다.

다시 문이 열리고 문이 닫힌다.

병두가 누워 있는 곳에는 아무것도 없고 그곳에서는 시간이 아주 느리고 특별하게 흐른다. 수많은 1초가 모두 다른 소리를 내는 것 같다. 색깔도 다르고 질감도 다 다르다. 배에 그어진 실밥 자국에서 진물이 흐르기 시작한다. 안구를 파낸 눈두덩이 두 개가 깊은 구덩이처럼 움푹 꺼져 있다. 부패가 시작된 몸이 악취를 풍기고 악취가 심해질수록 그곳에서 흐르는 시간은 더욱 느리고 특별해진다.

마지막으로 병두는 193번 고객의 전기 압력 밥솥을 생각한다. 마지막에 무언가를 생각하게 된다면 그 전기 압력 밥솥일 거라고 예전부터 생각했지만 자기가 정말 그러는 것이 아주 이상한 일처럼 느껴진다. 다른 이상한 일도 많았지만 지금은 그게 가장 이상한 일 같다. 문득 사람들은 죽기 전에 어떤 생각을 하는지 궁금해진다. 적어도 아주 오래전에 한 번 만지작거린 누군가의 전기 압력 밥솥을 생각할 것 같지는 않다. 어쩌면 사람들은 대부분 자기가 예전에 한번 만지작거린 물건을 생각하면서 죽어가는지도 모른다는 생각도 든다. 그런 생각을 하자 위로가 된다. 발바닥에 물집이 터지도록 걷고 있는데 마음씨 좋은 누군가가 차를 세워줄 때처

럼 남들이 자기만큼 잘못되거나 이상하다는 생각은 위로가
된다.

병두는 더 이상 아무 생각도 할 수 없을 때까지 193번 고
객의 전기 압력 밥솥에 대해 생각한다. 그러다가 얼마 후에
는 아무 생각도 하지 않는다.

타!
◎

오전 10시 40분경, 강 과장은 오 이사의 호출을 받고 자리에서 일어났다. 급한 일은 없었다. 기획안을 검토 중이었지만 이미 한번 검토한 기획안이었고, 날씨가 우중충해서 그런지 더 검토할 의욕도 생기지 않았다. 월요일 아침이라 더 그랬다. 강 과장은 방금 잃어버린 지압 슬리퍼 한 짝을 찾아 책상 밑에서 발을 더듬거리며 지금 여기가 사무실이 아닌 다른 어딘가였으면 좋겠다고 생각했다. 비치 파라솔 아래 누워 밀려오는 파도 소리를 들으며…….

　"강 과장님 잠깐 저 좀 보실래요."

　오 이사는 항상 검은색 투피스 정장을 입고 다녔는데, 그날도 그랬다. 나이를 가늠할 수 없는 화장과 신경질적으로 반짝이는 금테 안경, 걸을 때마다 깐깐하게 울려 퍼지는 하이힐 소리도 그대로였다. 하지만 표정은 평소와 달랐다. 강 과장은 회의실로 가면서도 찜찜한 기분을 지울 수 없었다. 오 이사의 표정이 자꾸 마음에 걸렸다. 순간적으로 정리 해고나 부도 같은 말이 떠올랐다. 아무튼 무슨 일이 벌어졌고, 그게 좋은 일이 아니라는 것만은 확실했다. 강 과장이 회의실 문을 열고 들어갔을 때도 오 이사는 공포 영화의 여주인공 같은 표정을 짓고 있었다. 귀신은 우리 중에 있어.

딸칵, 문을 끝까지 잡아당기자 걸림쇠 튀는 소리가 났다. 강 과장은 하이힐 소리를 듣기 위해 회의실로 불려 온 사람처럼 무릎 위에 두 손을 올려놓고 파이프 의자에 앉아 하이힐 소리를 듣고 있었다. 또각또각, 또각또각……. 오 이사는 누가 그러지 말라고 따끔하게 한마디 할 때까지 계속 초조하고 불안하게 왔다 갔다 거릴 것 같았다.

"무슨 일입니까?"

강 과장은 최대한 사무적인 목소리를 내려고 노력했다. 자꾸만 정리 해고나 부도 같은 말이 가물거렸고 그 위에 아내와 두 아이의 얼굴이 겹쳤지만, 어쨌든 노력은 했다. 오 이사처럼 초조하고 불안하게 왔다 갔다 거릴 수는 없었다. 회의실은 두 사람이 왔다 갔다 거릴 수 있을 만큼 넓지 않았다.

"총이 없어졌어요."

처음에는 오 이사가 잘못 말한 줄 알았다. 자기가 잘못 들었을 가능성도 완전히 배제할 수는 없었다. 하지만 곧 둘 다 아닐 수도 있다는 생각이 들었고, 그러자 더는 아무 생각도 들지 않았다.

"총이요?"

"강 과장님도 아시잖아요. 대표님 권총……."

모를 리 없다. 주식회사 성진물산 직원 중에 그걸 모르는 사람은 간첩이다. 처음에는 누구나 굉장히 이상하다고 생각한다. 일반 회사에 총이 있고, 무슨 일이 있을 때마다 대표가 그걸 꺼내 든다면 최소한 정상처럼 보이지는 않는다.

"일 똑바로 안 해. 죽을래?"

권총을 든 사람이 이런 말을 하면 그냥 흘려듣기 어렵다. 같은 일을 몇 번 겪는 동안 나름대로 해석도 해본다. 대표는 왜소한 체구에 키도 작다. 형광등 불빛을 받으면 눈이 부실 정도로 반짝거리는 대머리다. 그런데도 자신감을 빼면 시체다. 평균 이하로 좁은 어깨를 항상 당당하게 쭉 펴고 걷는다. 이래라저래라 반말로 사람을 부리는 걸 옆에서 보고 있으면 기가 눌리는 느낌이다. 바닥에 동전이 떨어져도 절대 고개를 숙이지 않을 것 같다. 도대체 그런 자신감은 어디서 나오는 것일까? 혹시 그 구닥다리 권총? 어쩌면 진짜처럼 생긴 BB탄 총일지도 모른다. 방아쇠를 당기면 총구에서 불이 켜지는 라이터일 수도 있다. 물론 직접 시험해보고 싶은 마음은 없다.

본의 아니게 출처에 대해서도 알게 된다. 대표는 직업군인 출신이다. 대대장이었다는 설도 있지만 그건 대표가 술자리에서 내뱉은 말이라 믿기 어렵다. 아무튼 그때 쓰던 걸 들고 나왔다고 하는데, 그게 사실이라면 영창감이다. 불법무기소지죄라는 것도 있다. 인터넷으로 알아보니 10년 이하의 징역형이나 1000만 원 이하의 벌금이 부과된다고 한다. 하지만 1년, 2년 시간이 흐르고 대표 책상 두 번째 서랍에 들어 있는 권총도 까맣게 잊혀진다. 아니, 평범한 물건으로 변한다. 호치키스나 두루마리 휴지 같은 사무실 비품처럼 눈여겨보지 않으면 잘 보이지도 않는다……. 하지만 그게 없어졌다면 이야기가 달랐다. 또각또각 초조하고 불안한 하이힐 소리가 계속 이어졌고, 강 과장은 다시 한번 아내와 두 아이의 얼굴을 떠올렸다.

"못 봤죠?"

"못 봤는데요."

강 과장을 의심하는 것 같지는 않았다. 무조건 OK 사인 받아 와. 사람이 죽을 각오를 하면 못 할 일이 없어. 석 달 전이었나? 대표실에 불려 갔을 때 본 게 마지막이었다.

"그렇군요."

잠시 후 오 이사도 신중하게 몇 번 고개를 끄덕이더니 회의실 의자에 앉았다. 땀 때문인지 오 이사의 금테 안경이 오른쪽으로 살짝 기울어 있었고, 강 과장은 오 이사의 금테안경이 지금껏 어느 쪽으로도 기운 적이 없다는 사실을 떠올리며 사태의 심각성을 실감했다. 저절로 목소리가 낮아졌다.

"도난당한 겁니까?"

"그런 것 같아요."

폭 하고 한숨을 쉬며 대답하는 오 이사의 말에 강 과장은 등골이 오싹했다. 누가 그랬느냐도 중요했지만 왜 그랬냐가 더 중요한 것 같았다. 건전하고 상식적인 목적으로 권총 같은 물건을 훔칠 리 없었다. 강 과장은 온몸의 근육이 딱딱하게 굳는 것을 느끼며 혀로 바싹 마른 입술을 핥았지만 혀도 바싹 마른 상태라 별 도움이 되지 않았다.

"분실일 가능성은 없습니까?"

"확인해봤는데 희박해요. 그게 분실할 만한 물건도 아니고요."

말을 마친 오 이사가 갑자기 눈을 감고 양해도 없이 복식호흡을 실시하자 강 과장은 변기에 앉아서 벌컥 화장실 문이 열리는 걸 지켜보는 사람처럼 당황했다. 10초쯤 뭘 해야 할지 몰랐고, 시선을 어디에다 두어야 할지 몰랐으며, 잠깐 밖에 나갔다 와야겠다는 생각을 그 10초 동안 적어도 세 번 이상 한 것 같았다. 잠시 후 오 이사는 갑자기 눈을 감을 때처럼 갑자기 눈을 떠서 강 과장을 또 한 번 당황하게 했다.

"강 과장님."

강 과장이 그렇게 두 번 당황하는 동안 오 이사는 완전히 평소의 오 이사로 돌아와 있었다. 눈빛부터 분위기까지 전부 실력 하나로 임원직에 오른 평소의 오 이사 그대로였다. 프라이버시가 강한 유학파 올드미스 오 이사가 삐뚤어진 금테 안경을 바로잡으며 차분하고 침착한 목소리로 말을 이었다.

"얼마 전에 회사 홈페이지에 올라온 글 보셨죠? 동일인의 소행이라면 큰일이에요."

'성진물산의 간부 일동은 보아라'라는 문장으로 시작해서 간부들의 잘못을 따끔하게 꼬집는 내용의 글이었다. 제목이 〈김 대리 격문〉이었나, 뭐 그 비슷한 거였는데 강 과장은 그런 글에 자기가 거론되었다는 사실을 한동안 받아들이기 힘들었다. 요즘은 다시 청국장을 먹고 있지만 한때는 그 글 때문에 정말 청국장이라면 쳐다보기도 싫었다. 그런 글을 작성한 인물이 대표의 권총을 훔쳐 갔다면……. 강 과장은 누군가 자기 등 뒤에서 총을 쏘는 장면을 떠올리며 의자가 떨릴 정도로 몸서리쳤다.

"대표님은 일단 몸을 피하셨어요. 만약의 사태라는 게 있으니까요."

강 과장은 땀이 밴 손바닥을 허벅지에 문지르며 정말 등에 총을 맞은 사람처럼 들릴 듯 말 듯한 목소리로 물었다.

"몸을 피하셨다면…… 어디로……?"

오 이사의 손바닥에도 땀이 많이 밴 것 같았다. 책상 위에 있던 두루마리 휴지를 뜯어 몇 번 만지작거리자 금방 밀가루 반죽처럼 변했다. 벽에 걸린 '경축, 성진물산 창립 10주년' 벽시계가 째깍째깍 소리를 내며 돌아가고 있었다.

"그건 저도 몰라요. 알 필요도 없고요. 전화로 회사 밖이라고만 하셨습니다."

총이 없어졌어, 대표는 다짜고짜 그 말부터 했다. 그때가 대략 오전 10시경이었다. 오전 9시 50분경에 대표는 자기 책상 두 번째 서랍을 열다 그 사실을 발견했다고 했다. 총은 항상 파일 아래 놓여 있었고, 그때도 거기에 있어야 했다. 하지만 파일 밑에는 이런저런 잡동사니뿐이었다. 몇 번 확인해도 마찬가지였다. 총은 없었다. 대표는 빠르게 머리를 굴리며 생각했다. 누군가 총을 훔쳐 갔다면……. 오래 생각할 필요도 없었다. 빨리 움직이지 않으면 목숨이 위험해질 수도 있었다. 바로 스탠드형 옷걸이에 걸어둔 양복 재킷을 걸치고 대표실을 빠져나왔다. 직원들과 마주치지 않기 위해 복도를 살폈다. 아무도 없었다. 그래도 발소리를 죽였다. 화장실 앞을 지날 때는 까치발을 들고 숨을 참았다. 우선은 몸을 피해야 한다는 생각밖에 없었다.

대표는 지하 주차장에 도착하자마자 시동을 걸었다. 브레이크에서 발을 떼고 있는 힘껏 가속페달을 밟았다. 하마터면 뒤에 주차된 차량을 박을 뻔했다. 실제로 트렁크 쪽에서 금속끼리 부딪치는 묵직한 소리가 들렸다. 하지만 대표는 신경 쓰지 않았다.

오전 9시 55분경, 회사 앞 도로는 한산했다. 하지만 아직 방심할 수는 없었다. 총을 들고 회사 정문에서 뛰쳐나올 수도 있었다. 창문을 열고 미친 사람처럼 소리를 지르면서 방아쇠를 당겨댈지도 몰랐다. 이래서 같이 골프 치는 놈들이 차에 방탄유리를 대는구나 하는 생각을 하며 대표는 끝까지 가속페달을 밟았다. 부웅 엔진이 돌고, 끼익 타이어가 노면에 갈렸다. 그리고 5분 후인 오전 10시경에 대표는 오 이사에게 전화를 걸어 상황을 설명했다. 자기가 어디 있는지는 말하지 않았다. 오 이사는 믿을 만한 사람이었지만, 완전히 믿을 만한 사람은 아니었다. 완전히 믿을 만한 사람은 세상 어디에도 없었다. 오늘 내로 총 찾아내. 범인을 잡아. 그 새끼 당장 모가지야.

"간부들의 역량을 믿는다고 하시면서 퇴근하는 그 순간까지 무슨 일이 있어도 자기 자리를 사수하라고 지시하셨습니다……. 강 과장님 생각은 어떠세요?"

회의실은 쥐 죽은 듯 조용했고, '경축, 성진물산 창립 10주년' 벽시계만 째깍거렸는데, 아내와 두 아이의 얼굴이 아까부터 계속 강 과장의 눈앞에서 아른거리고 있었다. 여보, 은지 아빠. 이다음에 크면 나 아빠랑 결혼할 거야.

　"지금 제가 믿을 수 있는 사람은 강 과장님뿐이에요."

　혼자만 죽을 수 없다는 말은 하지 않았다. 대신 오 이사는 금테 안경 너머로 강 과장의 얼굴을 빤히 들여다보며 의미심장한 목소리로 이렇게 덧붙였다. 힘을 보태주세요, 강 과장님. 생각할 시간이 필요하다거나 이런 일은 아내와 상의해봐야 한다는 말은 통하지 않을 것 같았다. 알겠습니다. 강 과장은 일단 힘을 보태기로 했다.

　"외근 나간 장 부장님도 점심시간 전에 합류할 예정입니다. 전화로 이곳 상황을 대충 설명했으니까 그렇게 늦지는 않을 거예요."

　의자 팔걸이를 짚고 일어난 오 이사가 옷매무새를 만지며 우선 자리로 돌아가 상황을 지켜보자고 했다. 강 과장도 그러는 게 좋을 것 같았다.

　"명심하세요. 절대 사원들을 자극하면 안 됩니다."

　어떻게 하라거나 어떻게 하지 말라는 구체적인 지시사항은 없었다. 그냥 평소처럼 행동하라는 의미 같았다. 강 과장은 오 이사의 뒤를 따라 회의실 밖으로 나왔다. 그건 그쪽에서 일을 그렇게 한 거잖아요. 뭐라고요? 옥희 씨가 거래처 사람과 통화를 하고 있었고, 가끔 컴퓨터 자판 두드리는 소리가 들렸지만, 사무실은 굉장히 조용했다. 형광등 주위로 먼지만 떠다녔다.

세 명이나 되는 김 대리는 모두 자기 자리를 지키고 있었다. 오 이사는 이 중의 한 명이 범인이라고 생각하는 것 같았다. 그건 강 과장도 마찬가지였다. 얼마 전에 회사 홈페이지에 올라온 글도 있고, 지금 뭐라고 하셨어요? 그쪽만 성질 있는 거 아니거든요, 여자인 옥희 씨에게는 상대적으로 혐의가 적었다. 총을 다루어본 경험이 적거나 없을 가능성이 컸다.

강 과장은 책상에 앉아 사무실 분위기를 살폈다. 평소에도 이랬나? 특별한 점은 없었다. 하지만 왠지 모르게 수상했다. 1번 김 대리와 잠깐 눈이 마주쳤다. 순간적으로 오싹했다. 2번 김 대리는 모니터를 들여다보고 있었다. 기습적으로 자판을 두드리는 바람에 강 과장은 억 하고 이상한 소리를 질렀다. 3번 김 대리가 결재 서류를 들고 다가왔다. 한쪽 바지 주머니가 묵직해 보였다. 당신을 처단하러 왔다. 당장 무언가를 꺼내 들 것 같았다. 예를 들면 대표가 잃어버린 권총 같은 걸.

"수고하셨습니다."

검토는 하지 않았다. 지금은 일보다 훨씬 중요한 게 있다고 생각했다. 결재한 서류를 돌려주는데 갑자기 존댓말이 튀어나왔다. 강 과장도 놀랐지만 3번 김 대리가 더 놀란 것 같았다. 과장님 어디 편찮으세요? 손이 떨리고 동공이 커지는 게 느껴졌다. 아닙니다. 저는 괜찮습니다. 결국 3번 김 대리는 찜찜한 얼굴로 강 과장을 뒤로했다.

"강 과장님 저 좀 잠깐……."

바로 오 이사에게 두 번째 호출을 당했다. 입은 웃고 있는데 표정이 안 좋았다. 회의실 문이 닫히자마자 오 이사는 몸을 휙 돌리더니 강 과장을 노려보며 당장 잡아먹을 것처럼 말했다.

"지금 제정신이에요? 왜 자꾸 사원들을 자극하고 그래요."

하지만 1번 김 대리의 눈빛이 너무 무서웠다. 그건 섬뜩할 정도로 차갑고 냉혹한 킬러의 눈빛이었다. 2번 김 대리가 원래부터 그렇게 공격적으로 컴퓨터 자판을 두드렸었나? 그렇지 않은 것 같았다. 그건 마치 무슨 신호나 준비 동작 같았다. 3번 김 대리는 자리에서 일어날 때부터 수상했다. 한 발 두 발 다가올 때는 강 과장도 한 발 두 발 도망치고 싶었다. 눈앞에다 결재 서류를 내미는데, 권총을 꺼내는 줄 알았다. 어쩔 수 없었다. 반말을 하면 정말 권총을 꺼낼지도 모른다고 생각했다.

"죄송합니다. 저도 모르게 그만······."

강 과장은 망설임 없이 머리를 숙였다. 첫째 때는 안 그랬
는데, 둘째가 생긴 다음부터는······ 세상에서 가장 쓸모없는
물건이 자존심 같았다.

"이럴 때일수록 우리 침착하게 행동합시다. 알 만한 사람
이 정말 왜 그래요."

오 이사의 표정은 싸했다. 회의실도 바다 밑바닥에 가라
앉은 것처럼 조용했다. 공기가 점점 희박해지는 것 같았고,
강 과장은 몸 둘 바를 몰라 바닥에 깔린 데코 타일만 노려보
고 있었다. 어마어마한 수압에 온몸이 짓눌리는 것 같았다.
30초가 30시간처럼 길게 느껴졌다. 차라리 한 대 맞고 끝냈
으면 싶었다. 그럴 수만 있다면 정말 그랬으면 좋겠다고 강
과장은 생각했다. 그렇게 30초가 더 흘렀다. 갑자기 쾅 하고
회의실 문이 열리더니 장 부장이 들어왔다.

"그러니까 대체 뭐가 어떻게 된 거야?"

쩌렁쩌렁한 장 부장의 목소리가 회의실 벽에 부딪쳐 무섭
도록 크게 울려 퍼졌다. 오 이사는 순간 물건을 훔치다 들킨
사람처럼 그 자리에서 얼어붙었고, 강 과장은 재빨리 장 부
장의 등 뒤를 살폈다. 책상과 데스크톱 컴퓨터와 형광등 불
빛과······ 늘 보던 사무실인데 어딘지 모르게 늘 보던 사무
실이 아닌 것 같았다. 1번 김 대리의 눈빛은 아까와 비슷했

다. 냉혹한 킬러의 눈빛이었다. 2번 김 대리는 컴퓨터 자판에 손을 올려놓고 있었다. 하지만 자판 두드리는 소리는 들리지 않았다. 엉거주춤 자리에서 일어나 고개를 내밀고 있는 사원은 3번 김 대리였다. 심한 자극을 받은 것 같았다. 수화기를 손에 든 옥희 씨도 회의실 쪽을 빤히 쳐다보고 있었다. 저 인간들 저기에서 뭐 하는 거야? 그런 눈빛이었다.

성진물산의 간부 일동은 보아라.
먼저 강 과장에게 묻겠다. 당신은 왜 청국장을 그토록 좋아하는가? 물론 청국장은 몸에 좋은 전통 음식이다. 하지만 당신은 점심시간만 되면 매일 청국장만 먹는다. 그건 좀 아니라고 본다. 조상님 중에 청국장 못 먹고 돌아가신 분이 있는가. 아니면 청국장에 영혼이라도 팔았단 말인가. 어떨 때 보면 당신은 청국장병이라는 정체불명의 병에 걸린 환아 같다.
"오늘은 청국장 먹으러 가지."
'오늘은'이라는 건 어쩌다 하루 그러는 걸 말한다. 어제도 먹고, 그제도 먹은 청국장 앞에 '오늘은'이라는 말을 붙이면 안 된다고 생각한다. 뭐, 좋다. 개인의 취향이라는 것도 있으니까. 어쩌면 당신에게는 청국장에 얽힌 아름다운 추억이 있고 그래서 당신은 그 추억을 떠올리기 위해 매일 청국장을 먹는 것인지도 모른다. 하지만 왜 옥희 씨와 나 김 대리까지 당신이 좋아하는 청국장을 매일 먹어야 한단 말인가.

당신이 기억할지 모르겠지만 나 김 대리가 한번은 용기를 내서 이런 말을 한 적이 있다.

"과장님, 오늘은 짜장면 먹죠."

그날은 아침부터 짜장면이 먹고 싶었다. 몸이 짜장면을 부르고 있었다. 그래서 용기를 냈다. 청국장집으로 우리를 끌고 가는 당신에게, 청국장에 영혼을 판 용서받지 못할 당신에게 건의한 것이다. 하지만 그런 내게 강 과장 당신은 뭐라고 말했던가.

"짜장면은 안 돼. 청국장 먹어!"

당신은 왜 나 김 대리의 개성과 존엄성을, 짜장면을 먹고 싶다는 작은 소망을, 단 하루만이라도 청국장으로부터 벗어나고 싶다는 간절한 바람을 알아주지 않는 것인가. 당신도 홍익인간에 대해서 배웠을 것이다. 주관식 시험 문제에 홍익인간이라는 네 글자를 또박또박 쓰면서 좋아한 적도 있었을 것이다. 그런 사람이 왜 우리 국조 단군왕검의 건국이념인 홍익인간 정신을 실생활에 적용하지 않는단 말인가. 혹시 도덕 시간에 선생님 말씀 안 듣고 잤나? 아니면 강 과장 당신은 우리 국조인 단군왕검을 무시할 뿐 아니라, 그분의 고귀한 건국이념인 홍익인간 정신 같은 건 개에게나 줘버리자고 결심한 한민족의 이단아란 말인가?

아무튼 당신은 홍익인간 정신에 반하는 인물이다. 내가 짜장면을 먹자고 건의한 날, 당신의 머릿속에 홍익인간 정신의 '홍'자라도 있었다면 당신은 짜장면을 먹으러 갔어야 했다. 아니, 최소한 돈가스나 냉면 정도의 메뉴로 한 발짝 물러서는 성의라도 보였어야 했다. 그날 나는 청국장을 앞에 두고 눈물을 흘렸다. 못 봤다고? 남자가 가슴으로 흘리는 눈물은 보이지 않는다. 어쨌든 그건 청국장 냄새 때문도, 점심 때마다 매일 만나는 매운 어묵볶음 때문도 아니었다. 한입 가득 청국장을 맛있게 먹고 있는 당신, 식당에 가면 늘,

"이모, 여기 청국장 세 개!"

이렇게 외치는 당신 때문이었다. 당신은 나의 인권을, 나의 정체성을 청국장이라는 전통 음식으로 무참하게 짓밟았다. 그리고 그런 압제의 그늘 속에서 신음하는 사람은 나 김 대리뿐이 아니다. 옥희 씨가 한번은 이런 말을 한 적이 있다.

"청국장 때문에 회사 못 다니겠어요."

당신은 당신이 좋아하는 청국장이 얼마나 많은 사람을 괴롭히고 있는지, 피눈물을 흘리게 하고, 가슴 아프게 하고 있는지 알아야 한다. 요즘은 당신에게 짜장면 먹이는 꿈을 꾼다. 토할 때까지, 울면서 사정할 때까지, 나는 당신에게 짜장면을 먹인다. 언젠가는 실행하고 말리라 다짐해본다. 사필귀정이라는 말이 있다. 악행을 저질러 온 당신에게도 반드시

응징의 그날이 찾아올 것이다. 반성하는 마음으로 그날을 기다려라, 강 과장!

회사의 김 대리들은 모두 한 번씩 강 과장에게 짜장면, 돈가스, 냉면, 쫄면…… 다른 메뉴를 권했는데 그중 1번 김 대리가 유독 짜장면, 짜장면거렸던 것도 같았다. 일이 손에 잡히지 않았다. 계속 볼펜만 만지작거렸다. 가끔 고개를 들고 사무실 분위기를 살폈다. 이렇다 할 만한 점은 없었다. 하지만 그게 더 수상했다. 폭풍 전야처럼 적막이 감도는 사무실에 앉아, 강 과장은 불현듯 인생에 대해서 생각했다. 인생이라는 게 원래 그런 거다. 아버지의 말이 떠올랐다. 그런 게어떤 거라는 말은 하지 않았다. 아버지도 모르는 것 같았다. 그리고 끝내 모르는 채로 가셨다. 그동안의 인생이 파노라마처럼 지나갔다. 그리운 얼굴들, 미워했던 사람들……. 지금 생각해보면 유치원 때 짝꿍이 첫사랑이었다. 강 과장은 자기도 모르게 히쭉거렸다. 잠깐 그랬다. 불길한 생각이었다. 강 과장은 몇 번 머리를 흔든 다음 다시 볼펜을 만지작거리기 시작했다.

"과장님 식사 안 하세요?"

3번 김 대리였다. 옥희 씨와 함께 강 과장의 눈치를 살피고 있었다. 시간이 벌써 그렇게 됐나? 사무실에도 '경축, 성진물산 창립 10주년' 벽시계가 걸려 있었고, 오후 12시 5분 조금 전이었다.

"그럴까?"

강 과장은 볼펜을 내려놓고 일어나려다…… 왠지 그러면 안 될 것 같은 생각이 들었다. 일종의 직감이었다. 오늘 같은 날 생각 없이 청국장 세 개를 시키면 굉장히 위험할 것 같았다. 다시는 청국장 냄새를 맡지 못하게 될 수도 있었다.

"나는 속이 안 좋아서……. 먼저들 가."

그날 강 과장은 혼자서 밥을 먹었다. 매일 먹던 청국장이었다. 하지만 매일 먹던 그 맛이 아니었다. 밥이 입으로 들어가는지 코로 들어가는지도 몰랐다. 강 과장은 자판기에서 뽑은 커피를 손에 들고 식당을 나왔다. 그때가 12시 30분이었다. 사원들이 돌아오기 전에 해야 할 일이 있었다. 강 과장은 걸음을 서둘렀다. 자판기 커피가 손등을 적셨지만 뜨거운 줄도 몰랐다.

"강 과장님 저 좀 잠깐만……."

점심시간이 끝난 오후 1시 30분경, 세 번째 호출이 있었다. 이런 상황에도 몸이 나른하고 자꾸만 하품이 나왔다. 눈이 풀려서 그런지 만지작거리고 있는 볼펜이 두 개, 세 개로 보였다. 강 과장만 그런 게 아니었다. 1번 김 대리는 화장실에 몇 번 들락거렸고, 그때마다 세수를 하는 눈치였다. 2번 김 대리와 3번 김 대리는 눈에 초점이 없었고, 옥희 씨는 아까부터 꾸벅꾸벅 졸고 있었다. 그리고 아무도 그들을 자극하지 않았다. 여보세요? 강 과장은 전화를 받는 척하면서 자리에서 일어났다. 왜 그런 행동을 했는지 자기도 몰랐다. 갑자기 자리에서 일어나면 위험할 것 같았고, 그냥 그러는 게 안전할 것 같았다. 먼저 온 장 부장이 회의실 의자에 앉아 오이사와 강 과장을 기다리고 있었다.

"우선 강 과장님 보고부터 들어볼까요."

사원들이 회사로 돌아오기 전, 강 과장은 사무실에 도착했다. 결국 커피는 한 모금도 마시지 못했다. 오후 12시 45분경이었다. 시간이 없었다. 최대 15분, 많아야 10분. 보통 12시 50분쯤 하나둘씩 돌아오니까, 안전이 보장된 시간은 5분뿐이었다. 강 과장은 서둘러 작업을 시작했다. 1번 김 대리 자리로 가서 잠깐 책상 위를 살폈다. 의심이 갈 만한 물건은 보이지 않았다. 큰 서랍이 하나, 작은 서랍이 세 개, 책상 서랍은 총 네 개였다. 강 과장은 큰 서랍부터 뒤졌다. 가족사진이 한 장, 애인처럼 보이는 여자 사진이 세 장 나왔다. 그 외에는 전부 자질구레한 사무 용품이었다. 첫 번째 작은 서랍에서는 사진 대신 사직서가 나왔다. 서랍 속 제일 밑바닥에 돌멩이처럼 가라앉아 있었다. 두 번째 작은 서랍을 뒤지면서 강 과장은 유난히 희번덕거리던 1번 김 대리의 눈빛을 떠올

212

리고 있었다.

"과장님, 지금 뭐 하세요?"

서랍을 뒤지느라 사람이 들어온 줄도 몰랐다. 어디서부터 어디까지 본 걸까? 순간 손을 멈춘 강 과장은 자기가 자기가 아니었으면 좋겠다는 생각을 강렬하게 했고, 그런 강 과장을 빤히 바라보는 옥희 씨의 눈 속에는 의심의 불길이 활활 타오르고 있었다.

"오해야, 옥희 씨."

급하게 필요한 서류가 있어서 그랬다고 둘러댔더니, 그래도 프라이버시는 존중해주세요, 싸늘한 대답이 돌아왔다. 갑자기 생각나서 그랬어. 미안해. 결국 강 과장은 세 번째 작은 서랍을 뒤지지 못했다. 어쩌면 총은 거기에……

"이상입니다."

보고를 마치고 난 강 과장은 1번 김 대리가 의심스럽다며 자신의 소견을 덧붙인 뒤 회의실 의자에 앉았다.

"결국 못 찾은 거네요."

계속해서 장 부장의 결과 보고가 이어졌다. 강 과장이 사무실에 도착하기 10분 전, 장 부장은 2번 김 대리의 책상 서랍을 뒤지고 있었다. 첫 번째 서랍을 열자마자 사직서가 나왔다. 그것도 두 장씩이나. 장 부장은 2번 김 대리가 범인이 틀림없다고 지목했다.

"총이 나왔나요?"

그건 아니라고 했다. 하지만 사직서를 보고 심증을 굳힌 건 아닌 것 같았다.

"사람 말이라는 게 끝까지 들어봐야 아는 건데……. 안 그래, 강 과장?"

장 부장은 오 이사보다 나이가 많았다. 근속 일수를 따져도 장 부장이 선배였다. 어디서 굴러먹다 온 개뼈다귀가 이사 자리를 꿰찼다며 술에 취할 때마다 울분을 토해냈다. 대표의 세컨드가 아니겠냐는 소리도 몇 번 했다. 10년쯤 직장 생활을 같이했으면 접고 들어갈 만도 한데, 장 부장은 안 그랬다. 대쪽처럼 꼿꼿했다. 대표가 있을 땐 대표에게 말했지만, 대표가 없을 땐 강 과장만 상대했다. 지금도 장 부장은 오 이사가 아니라 강 과장을 바라보고 있었다.

"내가 아주 결정적인 증거를 찾아냈다니까."

마지막 서랍에서 적십자 마크가 들어간 잭나이프가 나왔다. 스위스제 같았고, 살짝 버튼을 누르자 탈칵 칼날이 튀어나왔다. 굉장히 날카로웠는데, 얼마만큼 날카로웠냐 하면, 말도 못 하게 날카로웠다고 했다. 시퍼렇게 날이 선 흉기를 보며, 장 부장은 부르르 자기도 모르게 몸을 떨었다.

"그건 살인 무기야. 회사에 그런 걸 왜 가져왔겠어? 그놈은 완전히 미친 새끼라고. 피에 굶주린 사이코패스 살인마야! 당장 무슨 조치를 취하지 않으면……."

장 부장은 감정을 폭발시키면서 목소리까지 함께 폭발시켰다. 그건 아무리 봐도 사원들을 자극하는 행동이었고, 강 과장은 회의실 밖 분위기를 걱정하면서 오 이사 쪽을 힐끔거렸다. 다행히 오 이사는 침착해 보였다. 금테 안경을 밀어 올리면서 사무적인 목소리로 차갑게 말했다.

"그러니까 총이 나온 건 아니네요."

뭐, 그렇긴 하지만……. 장 부장의 목소리가 꼬리를 내리고 기어들자, 오 이사가 말을 이었다.

"강 과장님, 불 좀 꺼주실래요."

오 이사는 파워포인트를 사용해 브리핑을 시작했다. 굳이 저런 걸……. 장 부장은 못마땅한 듯 몇 마디 투덜댔지만, 강 과장은 뭐가 달라도 다르다고 감탄했다. 깔끔하게 잘 만든 파워포인트였다. 보기에도 편했고, 내용도 한눈에 들어왔다. 레이저포인터를 다루는 솜씨도 수준급이었다.

"저는 3번 김 대리와 옥희 씨의 책상을 조사했습니다."

스크린에 3번 김 대리와 옥희 씨의 사진이 떴다. 입사 때 사진인지 둘 다 앳돼 보이는 얼굴이었다. 강 과장은 왠지 서글펐고, 세월 앞에는 장사 없네, 옆에서 장 부장의 쓸쓸한 목소리가 들려왔다. 화면은 곧 다음으로 넘어갔다. 제목은 '3번 김 대리 책상 서랍 속 품목 보고서: 수상쩍은 물건을 중심으로!'였다. 서랍별로 일목요연하게 정리된 목록표였다.

첫 번째 서랍에는 이렇다 할 만한 게 없었다. 클립과 압정, 화이트와 책상 달력, 그리고 꽤 많은 동전들……. 액수는 3740원이라고 기재되어 있었다. 두 번째 서랍에서 사직서가 나왔다. 전부 세 장이었다. '구김과 손때 등 만지작거린 흔적이 남아 있었음.' 오 이사는 첨부 사항을 기록하는 것도 잊지 않았다.

"세 번째 서랍의 이 품목에 주목해주세요."

레이저포인터의 불빛이 'BB탄'이라는 항목을 가리키고 있었다. 빨간 불빛은 망치로 머리끝까지 때려 박힌 대못처럼 그 자리에 찍혀 꼼짝도 하지 않았다.

"저는 3번 김 대리가 범인이라고 확신합니다."

BB탄이 왜? 글쎄요. 강 과장과 장 부장이 눈빛을 주고받는 사이 오 이사는 브리핑을 계속했다.

"3번 김 대리는 무서울 만큼 용의주도했습니다. 전동 권총으로 매일같이 사격 연습을 하면서 호시탐탐 기회를 노려왔던 겁니다. 점심시간이나 화장실에 가는 시간을 이용해서 말이죠."

세 번째 서랍에서 나온 BB탄이 그 증거라고 했다. 이건 사전에 치밀하게 계획된 범행입니다. 그리고 결국 3번 김 대리의 손아귀에 총이 들어가고 말았습니다. 모든 준비가 끝

216

났다는 뜻이죠. 무서운 일입니다. 3번 김 대리는 이미 돌아오지 못할 강을 건넜어요. 이제부터는 시간문제입니다. 반드시 방아쇠를 당길 거예요. 오 이사는 말을 잇지 못하고 부르르 몸을 떨었다. 그와 함께 레이저포인터 불빛이 이리저리 흔들렸다.

"결국 총이 나온 건 아니잖아."

장 부장이 이의를 제기했지만, 오 이사는 반응하지 않았다. 무서운 일이에요, 무서운 일이에요…… 같은 말만 되풀이했다. 파워포인트는 더 이상 다음 페이지로 넘어가지 않았다.

다음은 오 이사 당신 차례다. 당신에게는 이런 말을 해주고 싶다. 남의 것과 자기 것을 확실하게 구별할 줄 아는 인간이 되어라. 당신이 유능한 커리어 우먼이라는 건 안다. 일을 위해서 결혼을 포기할 수밖에 없었던 애절한 지난날도 들었다. 하지만 남의 것과 자기 것을 구별하지 못하는 당신은, 좀 아니라고 본다. 만지고 싶으면 자기 가슴을 만져라. 왜 볼륨감도 없고, 재미도 없는 나 김 대리의 가슴을 만지는 것인가. 당신의 손이 내 엉덩이를 때리고 지나갈 때마다, 나 김 대리의 마음이 얼마나 아프고 찢어지는지 당신은 아는가.

"봐봐, 옥희 씨. 내가 장난이 너무 심해?"

당신에게는 장난일지 모르지만 나 김 대리에게는 장난이 아니다. 장난으로 던진 돌에 개구리는 맞아 죽는 것이다. 내 가슴이다. 내 엉덩이다. 그리고 내 가슴과 내 엉덩이는 나 김 대리의 인권이다. 당신 오 이사는 나 김 대리의 가슴과 엉덩이를 만짐으로써 한 사람의 소중한 인권을 무참하게 짓밟은 것이다. 왜 남자가 여자를 만지면 성희롱이고, 여자가 남자를 만지면 장난이 되느냔 말이다. 치욕과 수치심은 여자만의 것이 아니다. 남자도 치욕과 수치심을 느낀다. 당신 오 이사는 똑똑히 알아야 한다. 여자의 신체에만 인권이 있는 게 아니다. 남자의 신체에도 인권이 있다.

한번은 당신을 신고할까도 생각했다. 당신은 기억하는가, 당신이 내 오른쪽 엉덩이를 찰싹 때리고 지나간 그날을? 나 김 대리는 곧장 화장실로 달려갔다. 칸에 들어가 문을 잠그고 눈물을 흘렸다. 그때는 정말 당신을 신고할 생각이었다. 그만큼 울분에 찼고, 당신에게 맞은 오른쪽 엉덩이는 수치심에 떨고 있었다. 하지만 나 김 대리는 당신을 신고할 수 없었다. 당신이 이사이기 때문에, 그런 당신을 신고하면 회사에서 잘릴지도 모른다는 불안 때문에 나는 당신의 악행을 징벌하지 못했다.

나 김 대리도 인간이다. 사전에 반드시 허락을 받고 만져달라. 물론 나 김 대리는 지금뿐 아니라, 앞으로도 영원히 당

신의 손길을 허락할 생각 따위 없지만. 분명히 말해둔다. 당
신은 나 김 대리의 취향이 아니다.

"그게 다 뭡니까?"

"어, 아무것도 아니야. 아까 보니까 3번 김 대리하고 옥
희 씨 얼굴이 너무 거친 것 같아서……. 젊은 사람들이 안됐
어."

내가 이거 사러 강남역까지 갔다 왔잖아, 점심때부터 자리
를 비운 장 부장이 한 손에 종이 쇼핑백을 들고 사무실에 나
타난 시간은 오후 5시경이었다. 무슨 바람이 불어서 그랬는
지 모르지만, 선크림 두 개와 영양 크림 두 개를 샀다고 했다.

"좋아할지 모르겠네……."

좋아했으면 좋겠는데, 장 부장은 어울리지 않게 수줍음을
타며 얼굴을 붉혔다. 그리고 그로부터 30분 후인 오후 5시
30분경, 강 과장과 장 부장은 회의실로 오라는 호출을 받았
다. 먼저 도착한 오 이사가 생각에 잠긴 심각한 얼굴로 파이
프 의자에 앉아 있었다.

"시간이 없어요. 퇴근 시간 30분 전입니다. 강 과장님, 1번
김 대리를 마크하셨죠?"

오후 3시경, 휴대전화가 울리더니 한 통의 문자메시지가
도착했다. 오 이사였다. 다음 지시사항과 함께 간략한 행동

지침이 적혀 있었다.

'강 과장님은 1번 김 대리를 맨투맨하세요. 자극은 엄금!'

매치업은 소지품 검사 때와 동일한 것 같았다. 어쨌든 강 과장의 담당은 1번 김 대리였고, 그때부터 강 과장은 1번 김 대리의 일거수일투족을 감시하기 시작했다. 우선 1번 김 대리의 업무 내용을 파악하는 게 관건이었다. 뭐해? 1번 김 대리는 시장조사와 관련된 기획안을 작성하고 있었다. 왜요? 1번 김 대리가 희번덕 눈을 치켜뜨며 물었다. 자극을 받은 것 같았다. 하마터면 번쩍, 두 손을 머리 위로 올릴 뻔했다. 아니, 그냥……. 고생이 많네. 수고해. 강 과장은 자리로 돌아와 가슴을 쓸어내리며 뒷골을 주물렀다. 슬슬 고혈압을 걱정해야 할 나이라는 생각이 들자 무섭기도 하고 허망하기도 했다.

1번 김 대리는 30분에 한 번씩, 세 번 화장실에 갔다. 소변, 소변, 대변 순이었다. 그때마다 강 과장은 10초쯤 간격을 두고 1번 김 대리를 따라 화장실에 들어갔다. 처음 한 번은 1번 김 대리와 함께 소변기 앞에 나란히 서서 오줌을 누는 척했다. 두 손을 앞으로 모으고 고개를 숙였다. 그렇게 5초쯤 어색해했다. 1번 김 대리가 자기 쪽 방뇨 상황을 살필까 봐 겁도 났다. 만약의 경우, 전립선이 예전 같지 않네, 둘러댈 생각이었다.

"아까도 그렇고, 타이밍이 묘하네요."

두 번째로 소변기 앞에 섰을 때, 1번 김 대리가 강 과장의 얼굴을 보면서 말을 건넸다. 시선이 아래로 향하지는 않았다. 하지만 강 과장은 오싹했고, 다리에 힘이 풀렸는데, 생각지도 않게 오줌이 나오는 바람에 한편으로는 당황했고 다른 한편으로는 시원했다. 아무튼 강 과장의 매뉴얼에 없던 돌발 상황이었다. 그러게. 적당한 말로 수습한 다음 오줌을 털고 자리를 떴다.

돌발 상황은 한 번 더 발생했다. 세 번째로 화장실에 갔을 때, 1번 김 대리가 보이지 않았다. 강 과장은 이럴 때일수록 침착해야 한다고 자기를 다독였다. 갑자기 엄청난 냄새가 밀려왔다. 화장실은 두 칸이었는데, 그중 한 칸이 닫혀 있었고, '사용 중'이라는 빨간 팻말이 눈에 들어왔다. 곧 물 내리는 소리가 들렸다. 잠금장치를 푸는 소리도 났다. 강 과장은 세면대 쪽으로 가서 수도꼭지를 틀었다. 비누로 거품을 낸 다음 무작정 얼굴에 문질렀다. 잠시 후, 1번 김 대리도 세면대 앞에 섰다. 역시 비누로 거품을 내 손을 씻는 것 같았다.

"과장님, 저한테 하실 말씀 있으세요?"

출전을 앞둔 장병처럼 단단히 각오를 다진 목소리였다. 강 과장은 얼굴을 문지르다 말고 번쩍, 눈을 떴다. 비누가 눈에 들어가 따가웠지만, 강 과장은 그런 줄도 모르고 1번 김 대리의 안색을 살폈다. 거울 속의 1번 김 대리가 강 과장의 얼굴을 뚫어져라 바라보고 있었다.

"전 괜찮으니까, 하실 말씀 있으면 하세요."

결의에 찬 얼굴이었다. 어금니를 악물고 있어서 그런지 더 비장해 보였다. 1번 김 대리를 송두리째 자극하고 말았다. 총은 테이프 같은 걸로 변기 밑에 붙여놓으면 간단히 숨길 수 있는 물건이다. 1번 김 대리가 화장실 칸에 들어간 건 그걸 회수할 목적이었는지도 몰랐다. 그럼 총은 지금 1번 김 대리의 몸 어딘가에 있을 테고……. 강 과장은 모든 게 끝났다고 생각했다. 놀란 눈을 동그랗게 뜨고 거울 속 1번 김 대리를 바라보고 있었지만, 사실 그때 강 과장의 눈앞에는 아내와 두 아이의 얼굴이 아른거리고 있었다. 따뜻한 말 한마디 건네지 못하고 출근한 게 못내 후회스러웠다.

'저 그렇게 쉬운 놈 아닙니다. 혼자 죽지는 않을 겁니다.'

1번 김 대리의 눈이 희번덕거렸다. 안 그래도 바닥이 미끄러웠는데, 다리에 힘이 풀렸고, 어 하는 순간 강 과장은 망연자실한 얼굴로 바닥에 주저앉아 있었다. 괜찮으세요, 과장님? 1번 김 대리가 바로 다가와 강 과장을 부축했다. 타박상을 입었는지 무릎이 아팠다.

"어디 봐요."

휴게실 앞을 지날 때 옥희 씨를 만났다. 자판기 커피를 들고 혼자 앉아 있는 모습이 그렇게 심각해 보일 수 없었다. 묘령의 여인이 생각에 잠겨 있는 것 같았는데, 강 과장은 옥희 씨에게도 저런 모습이 있었구나, 하고 새삼 감탄했다. 옥희 씨, 마침 잘 만났네요. 과장님 좀 봐줄래요. 강 과장을 부축하고 가던 1번 김 대리가 옥희 씨를 불렀다. 어머나, 깜짝이야. 실제로 그런 말을 한 건 아니지만, 옥희 씨의 표정이 그랬다. 하지만 잠시 후, 옥희 씨는 언제 그랬냐는 듯 평상심을 되찾은 것 같았다. 어쩌다 다치셨어요? 이것저것 제법 그럴싸하게 묻기 시작했다. 화장실에서 미끄러졌는데 무릎을 다친 것 같아. 빡 소리가 났어. 강 과장은 상황을 대충 설명한 다음, 옥희 씨가 보면 알아? 바지를 걷어 올리면서 물었다. 모르셨어요? 옥희 씨, 군의관 출신이잖아요. 1번 김 대리가 대신 대답했다. 순간, 각 얼음을 갖다 댄 것처럼 싸늘한 느낌이 강 과장의 뒷골을 훑고 지나갔다. 하지만 강 과장은 그 느낌의 정체를 몰랐다. 옥희 씨도 있는데, 설마 여기에서 총을 쏘지는 않겠지. 강 과장은 계속 1번 김 대리의 일거수일투족을 주시하느라 바빴다.

"충격 때문에 근육이 살짝 놀란 것 같네요. 잠깐 쉬면 괜찮아질 거예요."

그래? 고마워. 통증은 아직 남아 있었다. 하지만 확실히 아까보다 덜했다. 혼자서도 그럭저럭 걸을 수 있을 것 같았다. 저는 커피 한 잔 마시고 들어가겠습니다. 1번 김 대리는 남고, 이때다 생각한 강 과장은 도망치는 사람처럼 자리를 떴다. 그 전에 잠깐 1번 김 대리와 눈이 마주쳤다. 희번덕, 광기 어린 눈빛이 반짝이고 있었다. 강 과장은 다리를 다친 부상병처럼 절뚝거리며 걷고 있었는데, 머릿속에는 한 가지 생각뿐이었다. 범인은 저놈이 분명해.

"눈빛이 그랬다는 거네요."

오 이사의 반응은 차가웠다. 표정과 목소리도 그랬다. 사람의 눈이라는 게 마음의 창 아닙니까. 1번 김 대리의 눈, 맑지가 않았어요. 강 과장은 반박하고 싶었지만 오히려 역효과만 불러일으킬 것 같아 말을 아꼈다. 그럼 장 부장님 이야기를 들어볼까요? 오 이사는 장 부장 쪽으로 의자를 틀며 말했고, 장 부장은 강 과장 쪽으로 의자를 틀며 이야기를 시작했다. 강 과장은 어디로도 의자를 틀지 않았다.

"내가 아까부터 그랬잖아. 2번 김 대리, 그 새끼가 틀림없다고."

수상한 점이 한두 가지가 아니라고 했다. 구체적으로 어떤 점이 수상했냐는 오 이사의 질문에 장 부장은 그냥 몽땅 다 수상하다며 목소리를 높였다.

"서랍에서 잭나이프가 나왔어. 스위스제였다고. 무슨 말이 더 필요해. 그 새끼는 완전히 사이코라니까 그러네."

휴-우, 한숨을 한 번 내쉰 뒤, 오 이사는 한동안 말이 없었다. 장 부장의 얼굴을 빤히 들여다보기만 했다. 오후 내내 자리를 비우셨죠? 휴-우, 한숨을 한 번 더 내쉰 다음, 오 이사가 물었다. 사실을 확인하는 냉정한 목소리였다.

"누구는 좋아서 강남역까지 갔다 온 줄 알아. 나도 나름대로 바빴다고. 첫째가 벌써 올해 고3이야. 밑으로 줄줄이 셋이나 더 있어. 마누라도 내 얼굴만 바라보고 있는데……."

강 과장 너는 애가 둘이잖아. 둘하고 넷은 그냥 두 배가 아니야. 몸으로 느껴지는 무게가 달라, 다르다고. 장 부장의 목소리는 한 발 두 발 계단을 오르듯 높아졌다. 그리고 마침내는 처절한 절규로 변해 쩍쩍 갈렸다. 내 밑으로 딸린 식구만 다섯이야. 내 맘대로 죽을 수도 없는 몸이라고. 나는 무슨 일이 있어도 살아야 해! 회의실에 침묵이 흘렀다. 사무실도 조용한 것 같았다. 그때 강 과장은 뿌리째 자극을 받은 1번 김 대리가 총을 꺼내 드는 모습을 떠올리며 꼴깍 침을 삼켰다.

"범인은 역시 3번 김 대리였습니다."

오 이사는 자리에 앉아서 차분한 목소리로 이야기를 시작했다. 파워포인트를 기대했는데, 강 과장은 왠지 아쉬웠다. 3번 김 대리는 성실한 태도로 업무에 임했다. 딴짓을 하거나, 인터넷 사이트를 돌아다니며 웹서핑을 하지도 않았다.

하지만 그건 범행을 감추기 위한 위장 전술에 불과했다. 3번 김 대리는 무서울 정도로 용의주도했습니다. 지능범들의 전형이죠. 3번 김 대리가 자리를 비운 것은 도합 다섯 번이었는데, 그중 두 번이 오후 3시를 전후로 한 시간에, 나머지 세 번은 오후 5시를 전후로 한 시간에 몰려 있었다. 그때마다 오 이사는 3번 김 대리의 뒤를 밟았다. 처음에는 수상하다는 느낌을 받지 못했다. 3번 김 대리는 남자 화장실로 들어갔고, 오 이사는 자판기 커피를 뽑는 척하면서 기다렸다. 대변인지 시간이 오래 걸렸다. 하지만 아무리 귀를 기울여도 변기 물 내리는 소리는 들리지 않았다. 싸고 안 내렸나? 3번 김 대리가 사무실로 들어가는 모습을 확인하고 난 뒤 남자 화장실을 조사해봤지만 흔적이 남아 있는 변기는 없었다. 냄새도 나지 않았다. 화장실에서 뭘 한 거지? 그렇게 오 이사의 의심은 깊어만 갔다.

30분 뒤, 3번 김 대리는 다시 자리를 떴다. 이번에도 오 이사는 뒤를 밟았다. 화장실과 반대 방향이었다. 3번 김 대리는 비상구 계단을 이용했다. 두 개 층만 올라가면 건물 옥상이었다. 사무실 바로 위층은 자재 창고로 사용 중이라 출입 통제 구역이었다. 열쇠는 대표가 보관하고 있었다.

오 이사는 문틈 사이로 옥상을 살폈다. 3번 김 대리의 모습을 보자마자 얼굴이 하얗게 질렸다. 하마터면 비명을 지를 뻔했다. 오 이사는 복식호흡의 도움을 받아 그 위기를 넘길 수 있었다. 짐작한 그대로였다. 의심이 현실이 되는 순간이었다. 3번 김 대리는 전동 권총을 들고 열 발짝쯤 앞에 세워놓은 표적 판을 조준하고 있었다. 굉장히 진지해 보였다. 반드시 명중시키고야 말겠다는 집념이 느껴져 무서웠다. 텅, 총구에서 발사된 BB탄이 과녁에 날아가 박혔다. 실력이 많이 늘었네요. 유능한 교관님을 모시고 있으니까요. 그리고 거기에는 3번 김 대리 말고 한 명이 더 있었다.

"옥희 씨였어요. 표적 판 옆에 서 있더군요."

오후 5시를 전후로 한 시간에도 3번 김 대리는 옥상에 올라가 사격 훈련을 했다. 세 번 다 그랬다. 화장실에 가거나, 커피를 뽑아 마시지도 않았다. 한 손으로 개머리판을 받치고, 다른 한 손으로 방아쇠를 당겼다. 그때마다 BB탄은 표적 판 중앙에 적중했다. 더 이상 가르칠 게 없네요. 하산하세요. 꺄르르. 옥희 씨의 높은 웃음소리가 청명한 가을 하늘로 날아올랐다.

"장난감 총이잖아. 진짜 총하곤 다르다고."

격발 반동이라는 것도 있고 말이야. 안 그래, 강 과장? 장 부장이 오 이사의 말을 걸고 넘어졌다. 확실히 그런 게 있다. 진짜 권총을 발포하면 그와 동시에 엄청난 수직 반동이 일어난다. 그건 전동 권총으로 아무리 연습해도 커버할 수 없는 부분이다. 제법 예리한걸. 강 과장은 장 부장의 말에도 일리가 있다고 생각했다.

"아무튼 3번 김 대리는 아니야."

회의실 분위기는 어수선했다. 그런가요. 오 이사는 생각에 잠긴 얼굴로 애먼 금테 안경만 만지작거리고 있었다. 모두에게 혐의점이 있다는 건 누구에게도 혐의점이 없다는 뜻이기도 했다. 그렇게 수사는 다시 미궁 속으로 빠졌다.

마지막으로 장 부장은 들어라. 당신은 품앗이와 징용의 뜻을 모르는 것 같다. 품앗이는 쌍방의 자유의사에 의해 서로 돕는 것이고, 징용은 국가가 국민에게 부과하는 강제 노동이다. 당신의 집안일에 강제적으로 동원되어 일방적인 노동을 제공하는 것은 품앗이가 아니다. 그것은 징용이다.

"다음 주에 우리 집에서 김치 담그거든. 시간 다 되지? 품앗이 좀 해줘."

당신이 이사할 때도 나 김 대리는 강제로 동원되어 짐을 나르고 물건을 정리했다. 당신은 왜 주말농장 같은 걸 해가지고 나 김 대리의 휴일을 지옥으로 만드는 것인가. 곡괭이질을 하면서 생긴 물집 자국이 아직도 이 손바닥에 처연히 남아 있다. 잡초를 뽑으면서 검게 그을린 옥희 씨의 피부는 누가 보상할 것인가. 당신은 나 김 대리와 옥희 씨를 강제 노동에 동원하면서 매번 가족애를 강조한다.

"우리가 남이야?"

분명히 말해둔다. 우리는 남이다. 설령 우리가 가족이라 해도 노동을 착취하는 인간은 가족으로 인정하고 싶지 않다. 당신 역시 나 김 대리의 노동을 착취하는 것으로 한 사람의 자유의지와 인권을 무참히 짓밟고 있다.

집안일은 가족끼리, 조용히 해결하길 바란다. 이 성진물산에 나 김 대리는 일을 하기 위해 입사했다. 하지만 이제는 당신의 머슴으로 전락해버린 나를 발견한다. 나는 당신의 노비가 아니다. 1차 서류전형을 통과해 2차 면접까지 합격한 성진물산의 정직원이다.

당신 집은 다음 주에 김장을 한다. 김장을 위해서 당신은 나 김 대리를 또 한번 강제노동에 동원했다. 물론 다음 주가 되면 나 김 대리는 굵은 소금을 사 들고 당신 집에 찾아갈 것이다. 하지만 권력의 단맛에 취한 자여! 화무십일홍이요, 권불십년이라고 했다. 언젠가는 권력의 단맛이 후회의 쓴맛으로 변해 당신의 혀를 괴롭힐 것이다. 칼로 흥한 자는 칼로 망한다는 말도 있다. 장 부장, 당신의 악행을 하늘이 내려다보고 있다는 사실을 명심하라.

째깍째깍, 째깍째깍…….

아무도 입을 열지 않았다. '경축, 성진물산 창립 10주년' 벽시계만 태연하게 초침을 굴리고 있었다. 오후 11시 45분이었다. 세 명의 김 대리와 옥희 씨는 힐끔힐끔 눈치만 보고 있었다. 그건 오 이사와 장 부장, 강 과장도 마찬가지였다. 숨 막힐 듯한 적막이 사무실 안에 가득했다.

야근은 갑작스러운 결정이었다. 퇴근을 5분 앞둔 오후 5시 55분경, 휴게실로 모이라는 문자가 왔고, 야근은 그렇게 세 명의 간부가 모인 자리에서 오 이사가 꺼내 든 카드였다. 이게 무슨 충격 테스트야? 이렇게까지 사원들을 자극해서 어쩌겠다는 거야. 장 부장이 심하게 반발했다. 듣고 보니 그랬다. 강 과장은 옆에서 뜨거운 커피를 후후 불며 조심스럽게 고개를 끄떡였다. 저도 그 생각을 안 해본 게 아니에요. 하지만 오 이사는 물러서지 않았다.

"범인이 총을 가지고 귀가할까요? 저라면 오늘 훔친 총은 오늘 쏴요. 퇴근 준비를 마치고 자리에서 일어나는 순간…… 범인은 어쩌면 그때를 노리고 있을지도 몰라요."

째깍째깍, 째깍째깍…….

오 이사는 자리에 앉아 꼼짝도 하지 않았다. 많이 지치고 초조한 것 같았다. 반듯하던 옷차림도 어딘지 모르게 허술해 보였다. 장 부장의 상태도 비슷했다. 공포에 질린 얼굴로 자기 자리를 지키고 있었다. 어깨를 잔뜩 웅크리고 이리저

230

리 눈알을 굴리느라 바빴다. 몸이 앞쪽으로 쏠려 있는 까닭에 엉덩이가 살짝 떠 있었다. 강 과장은 고개를 숙인 채 볼펜만 계속 만지작거렸다. 가끔 곁눈질로 사무실 분위기를 살폈다. 세 명의 김 대리 모두 퇴근을 포기한 사람들처럼 슬픈 얼굴이었다. 옥희 씨가 짝짝 껌을 씹기 시작한 시간은 오후 10시경이었다. 지금은 웹서핑을 하는지 마우스를 손에 쥐고 있었다. 폭풍 전야 같았다. 고요하고 잠잠한데, 왠지 모르게 불안하고 숨 막히고…….

"탕!"

강 과장은 재빨리 책상 밑으로 몸을 숨겼다. 반사적으로 머리를 감싸 쥐며 주위를 살폈다. 납작, 바닥에 엎드려 있는 장 부장과 눈이 마주쳤다. 자세가 좋았다. 금방이라도 떼구루루, 굴러떨어질 것 같은 눈이 적색 신호등처럼 빨갰다. 모세혈관이 터진 것 같았다. 오 이사는 의자에서 미끄러진 사람처럼 그 자리에 주저앉아 있었다. 넋이 나간 것 같았다. 어쩌면 다른 게 나갔는지도 몰랐다. 표정이 그랬다. 금테 안경이 바닥에 떨어져 있었고, 그 옆에 코 받침 하나가 굴러다녔다. 살짝 벌린 입술 사이로 맑은 침이 흘러내렸다. 뭐가 어떻게 된 거야? 강 과장은 조심스럽게 책상 위로 머리를 내밀었다. 분위기가 어수선했다. 옥희 씨의 책상 옆에 두툼한 서류철이 떨어져 있었다.

째깍째깍······.

'경축, 성진물산 창립 10주년' 벽시계가 자정을 향해 달려
가고 있었다.

"탕!"

발문

서유미(소설가)

영원히 우리의 것

인생을 이해할 수 없는 사람들

어른이 되면, 삶의 기반은 견고해지고 세상과 사람들을
바라보는 시선은 여유로워질 거라고 낙관하던 때가 있었다.
40대 후반이 되었는데도 사소한 일에 흔들리고 조바심을 내
면서 어른이 되려면 먼 건지, 어른의 삶이란 영영 오지 않는
건지 궁금해졌다. 확실히 깨달은 건 오래전에 동경하던 어
른의 삶이란 눈가의 주름처럼 저절로 주어지는 게 아니라는
것 정도다.

강태식 작가의 소설집《영원히 빌리의 것》에는 나이가 지
긋하고 인생의 경험이 제법 쌓였는데도 인생의 불확실함 속

에 흔들리고 속절없이 부서져 내리는 사람들이 나온다.

표제작 〈영원히 빌리의 것〉의 척 베리와 빌리 발렌타인은 사막에서 중고 자동차 매장을 운영하고 있다. 사막은 일교차가 심하고, 사무실 구석에는 계속해서 모래가 쌓인다. 그곳에서 척은 "밖으로 싸돌아다니며 외부 영업을 담당하고"(11쪽) 빌리는 "생각날 때마다 빗자루를 들고 바닥에 쌓이는 모래를 쓸어 담"(12쪽)는다. 그들은 그곳에서 몇십 년째 살고 있고 매일 같은 일을 하며 어떤 목표나 욕망을 향해 나아가지 않는다.

> 그는 10년 전에도 똑같은 생각을 했고 10년 후에도 같은 생각을 하리라는 것을 알았지만 자기가 해오던 방식을 바꿀 생각이 없는 사람처럼 보였다.(10쪽) …… 불현듯 평생 사무실에 앉아 모래나 쓸어 담다가 죽을 수도 있겠다는 생각이 들었다. …… 그런 게 인생인지도 몰랐다. 시시하고 하찮고 별 볼 일 없는 일에 매달려 시간을 보내다가 끝장나는 것…….(12~13쪽)

빌리 발렌타인에게 인생은 별 볼 일 없는 일들의 반복에 가깝고 그는 자신의 삶이 그런 식으로 흘러가리라는 걸 의심하지 않았다. 그런데 팀 추이가 등장한 뒤 그는 예기치 않게, 갑자기 "지구에서 행성 소유권을 법적으로 인정받은 다섯 분 중의 한 분이"(22쪽) 된다. 빌리의 인생에 등장한 행성 발렌타인 - 96419d는 "너무 멀거나 너무 커서 진짜 같지 않"았고(22쪽) 그런 면에서 "그건 없는 것이나 마찬가지"(24쪽)처럼 여겨진다. 물론 "가끔은 동그라미 안의 어떤 점이 아주 선명하게 보일 때도"(28쪽) 있다. 그렇게 빌리 발렌타인은 1년 동안 "생각날 때마다 돋보기안경을 찾아 쓴 채 그 사진을 들여다보며 지냈다."(27쪽)

팀 추이가 다시 전화하기 전까지의 1년은 표면적으로 무수히 지나간 1년과 같지만, 빌리의 내면에서 행성 발렌타인은 점점 선명해졌고, 이때의 1년은 그전의 1년과 전혀 다른 시간이 된다. 그리고 행성 발렌타인은 예고 없이 나타났던 것처럼 예상하지 못한 방식으로 갑자기 그의 인생에서 사라진다. 존재하는 줄도 몰랐고 상속받은 뒤에도 한동안 실감 나지 않던 먼 곳의 행성은, 시간이 지날수록 빌리의 삶에서 의미가 생겼고 한순간에 폭발함으로 상실감이라는 존재감을 확보하게 되었다. 어떤 것은 사라졌지만 오히려 사라졌다는 사실 때문에 더 생생하게 존재하게 된다. 그런 면에서 행성 발렌타인은 사라짐으로 인해 더 이상 누구의 소유도 아니게 되었지만, 빌리가 그것에 대해 생각하는 순간 "영원히 빌리의 것"이 될 수 있는 것이다.

〈우주비행사의 밤〉에서 작가는 캐럴과 우주비행사 마크를 통해 인생의 아이러니, 예측 불가능함에 좀 더 깊이 있게 다가간다. "남자는 우주 미아라는 말을 한 번도 사용하지 않고 마크가 우주 미아가 되었다는 말을 했다."(79쪽) 그리고 캐럴은 "우주선 사고나 소수점 다섯 자리 이하에서 발생한 계산 착오, 궤도 이탈 같은 말이 어떻게 마크와 연결될 수 있는지 이해할 수 없었다."(79쪽) 그 이해할 수 없음은 캐럴의 삶에서 오랫동안 지속되었고 캐럴은 삶의 중요한 부분을 비워둔 채로 현실의 시간을 보낸다.

그들은 캐럴을 지나쳐 간 사람들이었고, 캐럴은 50년 전에 궤도를 이탈한 그들이 왜 돌아오고 있는지 알 수 없었다.(82쪽)

시간은 인간의 상황이나 감정을 고려하지 않고 흘러간다. 환희의 순간이나 가슴이 찢어지는 고통 속을 지날 때도 시간은 인간의 감정과 상관없이 공평하게 흘러갈 뿐이다. 그 속에서 누군가는 죽고 누군가는 태어난다. 누군가 소중한 것을 잃을 때 다른 사람에게는 예기치 않은 만남이 시작되기도 한다. 그 무자비하고 공평한 흐름을 붙잡아두기 위해 인간은 시간에 이름을 붙이고 기념일을 만들어 그 안에 의미와 기억을 담아두는 건지도 모른다.

〈생일 전야〉의 척과 메리는 아들의 여덟 번째 생일에 특별한 기억을 선물하기 위해 생일 전날 밤 거실을 풍선으로 꾸민다. 그러다 "며칠 전에 빌리가 죽었"다는(111쪽) 대화를 나누게 된다. 척은 "한 달쯤 전부터 빌리가 빌리 같지 않기는 했"고(114쪽) "빌리라는 인물을 연기하는 것 같았다"고 (116쪽) 회상한다. 풍선을 불며 빌리에 관해 이야기하는 동안 척은 "거실 벽의 흠집을 바라"본다. "그곳에 못을 박은 기억이 없"지만 "흠집을 보았고 이제는 그것을 무시할 수 없게 되었다."(112쪽) 빌리의 이야기를 나눈 뒤 척과 메리 사이에는 정적이 흐르는데, 그들은 그것이 "아무도 없는 곳이 조용한 것과는 전혀"(120쪽) 다르다는 것을 인식하게 된다.

작가는 두 사람이 빌리의 죽음에 관해 이야기하는 것과 척이 벽에 숨어 있던 흠집을 발견하는 것을 같은 선상에 놓는다. 어떤 일을 겪고 어떤 일을 통과한 뒤에는 삶을 대하는 시선이 달라지고 내면에 변화가 생길 거라고 짐작하게 만드는 것, 삶의 이면을 엿보고 인생에 대해 의문을 품게 된 뒤 우리의 시간은 이전과 다른 리듬으로 흘러가게 된다고 말해주는 것이 소설의 일일 것이다. 그런 면에서 강태식 작가의 소설집 《영원히 빌리의 것》은 일상의 가깝고 먼 곳에서 예기치 않게 벌어지는 크고 작은 사건 속의 아이러니함을 잘 포착해낸다.

예상하지 못한 일을 만나거나 삶 속에 오래 자리 잡고 있던 것이 한순간에 사라져도, 무슨 일이 생겼다는 것을 알아차리고 묻는 사람이 있어 이 세계는 유지된다. 우리는 예상 못 한 일이 벌어지는 인생과 시간의 흐름에 관여할 수는 없어도 주위를 돌아볼 수는 있다. 누군가에게 "무슨 말을 하려는 것 같"지만(118쪽) 끝내 대답하지 못하는 사람과 그가 사라진 뒤에 "그때 무슨 말을 하려고 했을까?"(119쪽) 궁금해하고 "가끔씩 그럴려고 그러는 것은 아니지만 그때를 떠올"리는(118쪽) 사람들이 곁에 있어 우리의 삶이 이어진다.

하지만 그건 그것대로 나쁘지 않다고 생각해. 인생과 엔트로피를 위해 건배.(96쪽)

무언가를 잃어가는 사람들

사람들이 인생에서 가장 두려워하는 일은 사랑하는 사람을 잃는 것, 갑작스러운 순간에 소중한 사람을 잃어버리고 그것으로 인해 삶의 다른 관계마저 끊어지는 일일 것이다.
〈우리에게 가능한 순간〉의 제리와 제니퍼는 다섯 살 된 아들 토미를 한순간에 잃어버린다. "인생의 정점에 와 있다는 생각을 몇 번이나"(47쪽) 하게 만드는 순간이었으나 "토미는 한순간에 연기처럼 사라졌다."(48쪽) 갑자기 닥친 거대한 상실 속에서 "제리 맥킨은 어떤 관계는 실처럼 한순간에 갑자기 끊긴다고 생각했다."(49쪽) "술을 마시던 제니퍼가 그날 회전목마 앞에서 보고 들은 것에 대해 이야기했고 더 이상 할 얘기가 없어지자 빈 술잔을 만지작거리면서 이혼하는 게 좋겠다고 말했"기 때문이다.(49쪽)

"내일이 안 올 것 같아요."(52쪽)

삶에서 너무 중요한 것을 잃는 순간 사람들은 현실 감각을 상실한다. 제리에게 내일은 시간의 개념이 아니라 고통 너머, 고통이 사라진 다음을 말한다. 그렇게 제리는 다음이 오지 않을 것 같은, 현재의 고통을 오랫동안 지나가게 된다. 그러나 인생은, 한순간에 사라지고 끊어지고 잃어버린 것들이 사실 그리 멀지 않은 곳에 있었노라 짓궂게 속삭이기도 한다.

토미가 사는 동네는 제니퍼와 자기가 갈 수 없을 만큼 먼 곳에 있어야 했다.(56쪽) 그곳에는, 원래 제리 맥킨과 제니퍼의 것이었지만 제리 맥킨과 제니퍼가 한 번도 가져보지 못한 시간과 감정과 기억들이 무거운 돌멩이처럼 조용히 가라앉아

있었다.(66쪽)

예기치 못한 순간, 오래 꿈꾸던 것과 맞닥뜨리게 될 때 그 문 앞에 선 사람의 심정은 어떨까. 오랫동안 실현되기를 꿈꿔 왔고 바랐으나 응답받지 못했던 만남이 갑자기 찾아왔을 때 우리는 어떻게 해야 할까. 그것을 작가는 누구에게나 일어날 수 있는 "가능한 순간"이라고 명명한다. 소설 속 인물만이 그런 순간을 마주하는 것이 아니라 누구에게나 불가해한 문 앞에 황망한 심정으로 서 있는 순간이 올 수 있다는 것이다.

〈우주비행사의 밤〉의 캐럴도 비슷한 경험을 하고 비슷한 순간을 맞이한다. 여섯 명의 우주비행사들과 같이 밤을 보낸 뒤 그녀는 "아주 특별한 순간이 그곳을 지나쳐 갔고 다시는 그런 순간이 찾아오지 않으리라는 사실을 깨달았다."(97쪽)

인생과 지구에서 마크가 사라진 뒤로 캐럴은 "마크와 함께 우주를 유영하는 기분"이었고 그것은 슬프다기보다 비현실적이어서 그 밤 이후로 캐럴은 아무리 시간이 흘러도 그 감각과 감정을 다른 사람과 나눌 수는 없었다. "안토니오에게는 지구가 보이지도 않을 만큼 까마득하게 먼 곳에서 지구를 바라보는 느낌이 어떤 건지 말할 수 없었다."(104쪽)

그런데 50년이 지나 일흔여섯 살이 된 캐럴에게 우주왕복선이 돌아오고 있다는 소식이 도착한다. 캐럴은 버스 정류장에 앉아 몇 대의 버스를 보내며 자신이 "옷장 밑으로 들어간 브릭을 찾아낸 아이 같다고 생각했다. 예전에는 필요했지만 지금은 그렇지 않은", 왜냐하면 일흔여섯 살이 된 그녀의 삶에는 "이미 너무 많은 브릭이 꽂혀 있었"기 때문이다.(105쪽)

상실을 겪은 사람들은 그것을 견디는 자기만의 방식이 있어 거기에 기대어 살거나 그것을 지나가는 방식을 찾으려고 애쓴다.

> 납작못을 세면 도움이 돼. 납작못이 얼마나 큰 위로가 되는지 몰라.(31쪽)

철물점을 운영하는 콜먼이 납작못을 센다는 얘기를 듣고 "빌리 발렌타인은 바다에 깔려 있는 모래를 한참 보고"(32쪽) 자신도 "사무실에 남아 모래를 쓸어 담았다."(33쪽) 그러면서 "문득 발렌타인-96419d가 폭발한 뒤에 그 많은 모래가 모두 어디로 흩어졌을지 궁금해졌다."(36쪽) 빌리 발렌타인이 빗자루로 모래를 쓸어내다가 폭발한 자신의 행성에 대해 비로소 궁금해하게 되듯, 우리도 삶 속에서, 오늘을 지나가게 하는 납작못을 세는 동안 상실한 것을 들여다볼 수 있는 용기를 갖게 될 것이다.

강태식 작가의 소설을 읽고 있으면 상실을 견디고 난 뒤에야 제대로 된 인생을 살게 되는 것이 아니라, 상실의 순간을 지나가는 나날들 그 자체가 곧 삶이라는 생각이 든다.

작가는 인물과 함께 어떤 장면에 머물며 그 안에서 정서를 끌어낸다. 《영원히 빌리의 것》에 수록된 소설들을 덮고 나면 쓸쓸함이나 회한에 젖어 있는 인물의 표정이나 뒷모습이 그려진다. 황량한 도로 저편의 중고 자동차 매장과 그네가 있는 정원 앞에 차를 대놓고 가만히 눈을 감는 남자, 정류장에 앉아 거리를 바라보며 여러 대의 버스를 보내는 여자의 이미지가 마음에 얼룩처럼 남는다. 강태식 작가는 그것을 빌리, 캐럴, 제리의 이야기로 보여주지만 독자인 우리가 읽고 번져가거나 지워지지 않는 얼룩을 응시하는 순간, 그 상실감과 쓸쓸함은 영원히 우리의 것이 된다.

인간은 무엇으로 사는가

단편집에 수록된 소설들 중 〈반대편으로 걸어간 사람〉과 〈탕!〉은 강태식 작가의 초기 작품에 해당한다. 자본과 권력에 대해 각각 다른 목소리로 풀어가는 두 소설은 멀리 있는 듯 보이지만 말하고자 하는 지점이 닿아 있다.

19세기 초 런던의 빈민가를 배경으로 하는 〈반대편으로 걸어간 사람〉은 러다이트 운동의 지도자로 알려진 네드 러드의 일기가 발견되었다는 가설에서 시작한다. 네드 러드는 가공의 인물로 알려져 있는데, 작가는 사건을 바라보는 진지한 시선과 목소리로 네드 러드의 일기를 인용해 소설에 재미를 더한다.

제자 에드먼드가 보낸 일기 속에서 "고아원 출신의 공장 노동자"(145쪽) 네드 러드는 방적기를 돌리고 "자의에 의해서든, 제니의 명령에 의해서든 네드 러드는 기계의 부품으로 변해가고 있었다."(154쪽) 네드 러드의 일기를 읽으며 그 내용에 푹 빠진 토마스 하버 박사는 결국 "손에 망치를 들고 기계 앞에 선 네드 러드의 모습을"(158쪽) 마주하게 된다. 그것은 네드 러드 한 사람의 행동에 머무르지 않고 노동자들의 기계 파괴 운동인 러다이트를 일으켰다.

21세기의 회사 풍경 속에서 펼쳐지는 〈탕!〉은 권총을 가진 부하 직원을 두려워하는 상사들의 소동극을 다루고 있다. 유머러스한 분위기와 문체에서 작가의 첫 장편소설이었던 《굿바이 동물원》이 떠오른다.

〈회로의 죽음〉은 한 사람의 육체와 삶은 무엇으로 이루어지고 어떤 힘으로 움직이고 나아가며 이어지는가에 대한 고찰을 담은 소설이다. 작가는 가전제품 서비스센터에서 일하는 병두가 압력 밥솥의 미묘한 고장을 점검하면서 이전의 일상, 자연스러운 움직임으로부터 멀어지게 되는 과정을 보여준다. 압력 밥솥 고장 문제는 그의 업무이면서 삶의 외적인 것이었으나, 어느 순간 점점 그의 육체를 파고들게 된다.

> 드라이버를 떨어뜨리기 전, 아무것도 의심할 필요가 없었던 때. 병두는 불과 10분 전에 견고한 일상이 자신의 곁을 스쳐 지나갔다는 것이 믿어지지 않는다.(170쪽)

일상과 업무에 매몰되어 있는 사람들, 직장에서 하루 대부분의 시간을 보내며 자신이 하는 일과 다루는 것으로 세계를 인식하는 현대인들에게 병두가 고장 난 전기 압력 밥솥 안의 회로를 들여다보다가 서서히 마비되어 간다는 설정은 시사하는 바가 크다.

"193번 고객은 전기 압력 밥솥이 고장 나기 전까지 다신 전기 압력 밥솥에 대해 생각하지 않을 것이다."(182쪽) 193번 고객뿐 아니라 병두를 포함한 대부분의 사람들은 고장 나거나 문제를 일으키기 전에는 '당연한 것'에 대한 의심 없이 살아간다. "병두의 몸은 하나씩 둘씩 기능을 잃고 부피만 남았다. …… 그렇게 병두는 시간이 누구에게나 공평하게 흐른다는 것을 알게 된다."(177쪽) 하나의 회로가 불량을 일으킨 뒤 삶이 멈춰버리게 된 병두가 듣게 되는 말이 "미안합니다. 우리도 살아야 합니다"(190쪽)이며 그가 깨닫는 것이 시간의 공평함이라는 점은 의미심장하다.

작가는 인간을 움직이는 자본과 권력을 내세우며, 그것에 반하고 튕겨 나가는 인간을 보여준다. 그럼으로써 우리가 자본과 권력에 얼마나 잠식되어 있는가를 역으로 드러낸다.

그와 함께 도달할 소설의 세계

강태식 작가, 하면 책을 읽는 모습이 떠오른다. 그는 비바람을 피할 곳만 있으면 앉아서 책을 읽고 책 이외의 것에는 별다른 관심이 없다.

가까운 사람들과 강태식 작가에 관해 이야기할 때 나는 그를 종종 '허생'이라고 놀리곤 한다. 지인들이 강태식 작가의 안부나 소설 집필, 출간 소식에 대해 궁금해할 때 허생 얘기를 꺼내곤 하는데, 그분은 책 읽기를 즐겨 해서 당분간 출간 소식이 없을 거라고 하면 모두 고개를 끄덕이며 웃는다. 그렇게 말한 뒤에는 정말 허생의 마누라가 된 것처럼 언제 떨치고 일어나 매점매석을 하려나, 푸념하게 되었다. 그건 그의 소설을 좋아하기 때문에, 좋아하는 작가의 다음 작품을 읽고 싶은 마음이 커서 그런 것이다.

강태식 작가와 나는 청춘의 시기를 함께 보냈고 인생에서 가장 많은 대화를 나누었다. 우리의 대화는 밤부터 새벽까지 이어졌고 그즈음 읽었던 좋은 소설들과, 무엇을 어떻게 쓸 것인가에 대해 이야기하는 동안 가끔씩 삶의 장면들이 끼어드는 패턴이 이어졌다. 이야기는 해도 해도 끝이 없어서 매번 시간이 모자랐고 다음을 기약해야만 했다. 대화의 마무리는 언제나 "아까 그 얘기 좋았어. 이제 쓰기만 하면 돼"라는 격려와 "내일부터 진짜 열심히 살 거야. 다른 일 안 하고 소설만 쓸 거야"라는 다짐으로 마무리되었다. 그 순간들을 돌아보면(물론 현재진행형이다) 소설을 쓰는 시간보다 소설에 대해 이야기하는 시간이 더 긴 것이 인생이라는 생각이 든다. 우리의 삶이란 좋은 소설을 쓰는 시간이 아니라 좋은 소설의 언저리를 맴돌며 감탄하고 열망하는 것으로 채워지는 것 같다.

　　코로나19 팬데믹 이후 강태식 작가는 요리의 세계로 천천히 걸어 들어갔다. 그가 다양한 밑반찬을 만들고 저녁 메뉴로 파스타, 리소토, 케사디아 같은 것을 만들 때마다 맛에 놀라면서도(뛰어난 맛과 도전 정신에 정신이 혼미해질 정도다) 나는 조금 안타까워지곤 했다. 물론 안타까운 마음과 달리 나는 그가 불 앞에서 땀을 흘리며 만든 음식을 아주 맛있게 먹는다. 그는 어머니의 음식 솜씨를 물려받은 데다 무엇을 하든 제대로 하는 성격이라 우리는 저녁마다 파티를 벌이며 몸무게를 갱신했다. 음식 하는 데 너무 많은 시간을 들이는 것 같다고 하면 그는 끼니는 중요한 것이고 맛있게 만들기 위해서는 시간과 정성을 들여야 한다고 했다.

그는 결과물인 요리에만 신경 쓰는 게 아니라 식기구와 식재료에도 진심이다. 도마의 물기를 제거한 뒤 몇 차례에 걸쳐 오일을 바르는 모습을 보고 있으면 경건함마저 느껴진다. 요리와 끼니, 식기구를 대하는 자세가 소설을 쓰는 강태식 작가의 마음이라는 생각이 든다.

소설을 읽는다는 것은 작가와 독자가 함께 새로운 세계에 도달하는 일이므로 자신의 세계를 확고하게 밀고 나가는 작가도 좋지만 작품을 쌓아가며 변화하는 작가의 여정을 따라 읽는 것도 큰 기쁨이다.《영원히 빌리의 것》은 인간과 인생에 대해 깊어지는 작가의 시선을 감상할 수 있는 소설집이다. 동물원에서 출발해 우주정거장을 지나 자신만의 행성을 향해 나아가는 작가의 행보를 지켜볼 수 있어서 읽는 내내 즐거웠다(그리고 어지간한 애정으로는 첫 소설집의 발문을 쓸 수 없다는 점을 밝혀둔다).

이 소설집을 지나 강태식 작가가 어디로 나아가게 될지, 그와 함께 도달하게 될 소설의 세계에 어떤 감정이 녹아 있을지 독자이자 동료의 마음으로 기대하게 된다.

　장편소설을 내는 것과 단편집을 내는 것은 어떤 측면에서
보면 전혀 다른 일 같다. 첫 단편집을 묶으면서 그런 생각이
들었고, 그런 생각은 첫 단편집을 묶을 때만 하는 것 같다는
생각도 했다. 아무튼 단편집은 장편소설이 줄 수 없는 어떤
것을 주는 것 같다. 그 반대도 마찬가지겠지만, 첫 단편집을
내는 나에게는 그렇다. 예를 들면 시간 같은 것이 있다. 단편
마다 쓰고 발표한 시기가 다르다 보니 모아서 정리하는 동
안 끊임없이 지나온 시간을 돌아보게 되었다.

　〈탕!〉은 겨울에 쓴 글이다. 팔각정에 앉아 먼 곳에서 뜨거
나 내려앉는 비행기를 보며 구상하고 써 내려갔다. 너무 추
웠고 손발이 얼어 동동거렸지만 글이 잘 써질 때는 그런 것

들을 느끼지 못할 정도로 즐거웠다. 하루는 산 너머로 지는 노을이 너무 예뻤는데 10분쯤 넋 놓고 바라보기만 했던 기억이 난다.

〈우리에게 가능한 순간〉을 쓸 때는 여름이었다. 아내와 아이를 키즈카페에 데려다주고 그 근처 작은 카페에 앉아 있었다. 갑자기 비가 쏟아졌고 우산을 접거나 옷을 털면서 카페 안으로 들어오는 사람들을 보며 나는 아주 오래전에 아이를 잃어버린 늙은 남자의 이야기를 쓰기 시작했다. 카페 안은 커피 냄새와 비 냄새로 가득했고, 소설 속 늙은 남자는 아들이 사는 집 앞에 차를 세워놓고 오랫동안 아무도 타지 않은 그네와 포치에 놓인 안락의자 두 개와 신경 써서 묶어놓은 커튼과 고장 안 난 홈통과 가지런히 놓여 있는 화분 같은 것들을 바라보고 있었다. 그런 것들이 내 곁을 지나갔다.

〈영원히 빌리의 것〉을 쓰고 완성한 장소는 집에서 10분쯤 걸어가면 나타나는 천문대다. 지붕은 금속 재질로 된 돔형이었고, 화창한 가을 햇살 속에서 돔형의 지붕이 반짝반짝 빛났다. 그 지붕이 반으로 갈라지면서 커다란 천체망원경이 나온다고 생각하니 아찔할 정도로 가슴이 떨렸다. 그곳에 앉아서 글을 쓰는 몇 주 동안 나는 늘 4.5광년 떨어진 빌리의 행성을 바라보고 있었던 것 같다.

〈회로의 죽음〉은 아르코문화재단의 지원금을 받은 글이

다. 지금 생각해보면 어떻게 그럴 수 있었는지 모르겠다.

〈우주비행사의 밤〉은 교회 로비에서 썼다. 쓸 게 없었고 뭘 써야 할지 몰랐는데……. 짙은 어둠 속에 있을 때마다 늘 보잘것없는 자에게 빛을 보여주시는 하나님께 감사드린다.

〈반대편으로 걸어간 사람〉과 〈생일 전야〉도 어느 곳에서 어떤 것들을 바라보며 무엇에 대해 생각한 것인지 기억난다. 소설을 쓰는 동안 이럴 때도 있었고 저럴 때도 있었지만 한 가지 확실한 점은 글을 쓰는 모든 시간이 행복했다는 것이다. 첫 단편집을 내면서 꽤 괜찮은 인생을 살고 있다고 느끼게 된다.

그 모든 시간을 곁에서 함께해준 아내에게 특별히 깊은 사랑과 감사의 말을 전한다. 나의 착한 아들은 초등학교 2학년이다. 서원아, 늘 건강하고 행복하렴. 널 얼마나 사랑하는지 모른단다. 아버지 어머니께는 항상 감사하다. 또 그만큼의 감사의 인사를 장인어른과 장모님께 드리고 싶다. 책을 펴주신 한겨레출판사의 김준섭 님과 김다인 님께도 머리 숙여 감사드린다.

2021년 5월
강태식